**W9-CHP-211**

406-399-5539

# DAR PARA RECIBIR

Bob Burg y John David Mann

# Dar para recibir

El secreto del éxito en los negocios

EMPRESA ACTIVA

Argentina - Chile - Colombia - España
Estados Unidos - México - Uruguay - Venezuela

Título original: *The Go-Giver*
Editor original: Portfolio, The Penguin Group, New York
Traducción: Daniel Menezo García

Reservados todos los derechos. Queda rigurosamente prohibida, sin la autorización escrita de los titulares del *copyright*, bajo las sanciones establecidas en las leyes, la reproducción parcial o total de esta obra por cualquier medio o procedimiento, incluidos la reprografía y el tratamiento informático, así como la distribución de ejemplares mediante alquiler o préstamo públicos.

© 2007 *by* Bob Burg and John David Mann
   All Rights Reserved.
   This translation published by arrangement with Portfolio,
   a member of The Penguin Group
© 2008 de la traducción *by* Daniel Menezo García
© 2008 *by* Ediciones Urano, S.A.
   Aribau, 142, pral. - 08036 Barcelona
   **www.empresaactiva.com**
   **www.edicionesurano.com**

ISBN: 978-84-92452-07-1
Depósito legal: B - 37.853 - 2008

Fotocomposición: Ediciones Urano, S.A.
Impreso por Romanyà Valls, S.A. - Verdaguer, 1 - 08786 Capellades
(Barcelona)

Impreso en España - *Printed in Spain*

*Para Mike y Myrna Burg*
*y Alfred y Carolyn Mann,*
*que nos lo dieron todo*

# Índice

# 1

# El ambicioso

Si había alguien en la Clason-Hill Trust Corporation que fuera ambicioso y decidido, ése era Joe. Trabajaba mucho y rápido, y se dirigía sin vacilar hacia lo más alto. Al menos, ése era su plan. Joe era un joven ambicioso intentando tocar las estrellas.

Sin embargo, a veces le daba la sensación de que, cuanto más duro y más rápido trabajaba, más se alejaban de él sus metas. Para ser un tipo ambicioso tan entregado como él, le parecía que avanzaba mucho, pero no conseguía nada.

De todos modos, como siempre estaba ocupadísimo, Joe no tenía mucho tiempo para pensar en estas cosas. Sobre todo un día como hoy, que era viernes, cuando sólo quedaba una semana del trimestre y tenía que cumplir con una fecha tope crítica. Era una fecha tope que no podía permitirse no cumplir.

Hoy, durante las últimas horas de la tarde, Joe decidió que era el momento de pedir un favor, de modo que había hecho una llamada telefónica, pero la conversación no estaba yendo precisamente bien.

—Carl, dime que no me estás diciendo eso... —Joe respiró hondo para que la desesperación no se reflejase en su voz—. ¿Neil Hansen? ¿Quién narices es Neil Hansen?... Oye, que me da lo mismo lo que te ofrezca, podemos satisfacer esos requisitos técnicos... ¡No, espera! ¡Venga, Carl, me debes una! ¡Sabes que es así! ¡Eh!, ¿quién te salvó con la cuenta de Hodges? Carl... Oye, no me vayas a colgar... ¡Carl!

Joe pulsó la tecla de «apagado» del teléfono inalámbrico y se obligó a depositarlo con tranquilidad en la base. Respiró hondo.

Estaba intentando desesperadamente conseguir una gran cuenta, una cuenta que él consideraba que se merecía con creces, una cuenta que necesitaba si quería satisfacer su cuota del tercer trimestre. Joe no había conseguido sus objetivos del primer trimestre, ni tampoco del segundo. Dos fallos... No quería siquiera pensar en un tercero.

—Joe, ¿estás bien? —le preguntó una voz. Él alzó la vista y la fijó en el rostro preocupado de su compañera, Melanie Matthews. Melanie era una persona con muy buenas intenciones, realmente agradable. Ésos eran precisamente los motivos que inducían a pensar a Joe que no iba a durar mucho en un entorno tan competitivo como la planta séptima, donde trabajaban ambos.

—Sí —contestó.

—¿Ése con quien hablabas era Carl Kellerman? ¿Sobre la cuenta G. K.?

Joe suspiró:

—Pues sí.

No hacía falta que explicara nada. Todos los de la planta sabían quién era Carl Kellerman. Era un asesor de inversiones que buscaba la compañía correcta en la que gestionar la cuenta que Joe había bautizado con el nombre de una ola legendaria entre los surfistas, «Gran Kahuna», o G. K., abreviando.

Según Carl, el jefe de la Gran Kahuna no pensaba que la empresa de Joe tuviera «fuerza e influencia» suficientes como para gestionar la cuenta. Ahora un «figuras» del que nunca había oído hablar le había pasado la mano por la cara, superándole. Carl le había asegurado que ni siquiera él podía hacer nada al respecto.

—La verdad es que no lo entiendo —dijo Joe.

—Lo siento de verdad —repuso Melanie.

—Bueno, a veces cazas al oso y otras veces... —comentó él, con una sonrisa llena de confianza; pero lo único en lo que podía pensar era en lo que Carl le había dicho. Mientras Melanie regresaba a su escritorio, Joe se quedó sentado, sumido en sus pensamientos. Fuerza e influencia...

Un instante después se puso en pie de un salto y se acercó a la mesa de Melanie.

—Oye, Mel...

Ella levantó la vista.

—¿Te acuerdas cuando hablaste el otro día con Gus sobre algo relativo a un consultor importante que el mes que viene da una conferencia no sé dónde? Le llamaste «el Capitán» o algo parecido...

Melanie sonrió.

—Píndaro. «El Presidente.»

Joe chasqueó los dedos.

—¡Eso mismo! ¡A ése me refería! ¿Sabes su apellido?

Melanie frunció el ceño.

—No creo que... —Se encogió de hombros—. No, no creo que lo haya oído mencionar nunca. Todo el mundo le llama «el Presidente», o Píndaro a secas. ¿Por qué? ¿Quieres asistir a la conferencia?

—Sí..., quizá —dijo Joe, pero lo cierto es que no estaba interesado en una conferencia para la que tendría que esperar todo un mes. Le interesaba sólo otra cuestión, que además tenía que resolverse el viernes siguiente, cuando concluyera el tercer trimestre.

—Estaba pensando que ese tipo es un peso pesado, ¿no? Que cobra una cuota altísima como asesor, y que sólo trabaja para las compañías más grandes y mejores, ¿verdad? Eso es mucha fuerza. Yo sé que podríamos gestionar la cuenta G. K., pero para conseguir ese negocio voy a tener que emplear la artillería pesada. Necesito influencia. ¿Tienes idea de cómo me puedo poner en contacto con la oficina de ese tal «Presidente»?

Melanie se quedó mirando a Joe como si éste le hubiera dicho que se disponía a entablar un combate de lucha grecorromana con un oso grizzly.

—¿En serio le vas a llamar?

Joe se encogió de hombros.

—¡Claro! ¿Por qué no?

Melanie meneó la cabeza.

—No tengo ni idea de cómo ponerme en contacto con él. ¿Por qué no se lo preguntas a Gus?

Mientras Joe volvía a su escritorio, se preguntó cómo se las habría arreglado Gus para sobrevivir tanto tiempo en Clason-Hill Trust. Nunca le había visto trabajar en serio. Sin embargo, Gus disponía de un despacho cerrado, mientras que Joe, Melanie y algunas docenas de compañeros más compartían el espacio abierto de la séptima planta. Algunos decían que a Gus le habían dado el despacho por los años que llevaba en la empresa. Otros decían que se lo había ganado por méritos propios.

Los rumores que circulaban por la oficina sostenían que hacía años que Gus no adquiría una sola cuenta, y que la dirección le mantenía en su puesto por mera lealtad. También, entre susurros, volaban otros comentarios que decían exactamente lo contrario: que de joven había tenido un éxito deslumbrante y que ahora era un excéntrico adinerado e independiente que guardaba los millones en la funda del colchón mientras llevaba el estilo de vida de un pensionista.

Joe no se creía los rumores. Estaba seguro de que Gus conseguía algunas cuentas, pero le costaba imaginarlo como un superestrella de las ventas. Gus se vestía como un profesor universitario británico, y a Joe le recordaba más a un médico rural jubilado que a un hombre de negocios en activo. Gus, debido a su actitud relajada y afable, sus largas y digresivas conversaciones telefónicas con clientes potenciales (conversaciones en las que parecía hablar de todo menos de negocios) y sus vacaciones erráticas y prolongadas, parecía toda una reliquia de una era ya pasada.

# El ambicioso

Vamos, que un ambicioso no era.

Joe se detuvo ante la puerta del despacho de Gus y llamó suavemente.

—Entra, Joe. —Se oyó la respuesta.

—¿Así que tienes intención de llamarle ahora mismo y verle en persona? —le preguntó Gus, mientras pasaba cuidadosamente las hojitas de su agenda rotatoria, encontraba la tarjeta de cantos doblados que andaba buscando y anotaba el número de teléfono en un trocito de papel, que luego entregó a Joe. Le observó mientras lo cogía y marcaba el número en el teclado de su móvil.

—¿Un viernes por la tarde? —Joe sonrió—. Pues sí, eso es precisamente lo que voy a hacer.

Gus asintió, pensativo.

—Hay una cosa que puedo decir de ti, Joe, y es que tienes ambición, cosa que admiro. —Mientras hablaba, Gus manoseaba sin darse cuenta una pipa de espuma de mar—. Si hay alguien en esta planta que sea un buscador de superéxitos, ése eres tú.

Joe se sintió conmovido.

—Gracias —dijo, mientras se encaminaba a su mesa.

A sus espaldas, oyó que Gus le decía:

—No me des las gracias todavía.

Después de que el teléfono sonara una sola vez, una mujer de voz alegre que se identificó como Brenda contestó a Joe. Él se presentó, le expuso su necesidad de ver al Presidente y luego se preparó para discutir todas las trabas que sin ninguna duda ella le plantearía.

En lugar de eso, Brenda le dejó anonadado cuando le dijo:

—Por supuesto que podrá reunirse con usted. ¿Le va bien venir mañana por la mañana?

—¿Ma… mañana? —balbuceó—. ¿Un sábado?

—Si le va bien, sí. ¿A las ocho le parece muy pronto?

Joe se quedó de piedra.

—¿No…? Vamos, ¿no tendría que comprobar antes si él estará disponible?

—¡Oh, no! —repuso ella, impertérrita—. Mañana por la mañana le irá bien.

Se produjo un breve silencio. Joe se preguntó si esa mujer no le habría confundido con otro, alguien a quien conociera de verdad ese tal Píndaro.

—¿Señorita? —logró decir al final—. Verá… eeh… Ya sabe que ésta es la primera visita que le hago, ¿no?

—Por supuesto —contestó ella alegremente—. Ha oído hablar del Secreto de los Negocios y quiere enterarse de qué va.

—Bueno, sí, más o menos —replicó él. ¿Secreto de los Negocios? ¡Casi ni se creía la buena suerte que estaba teniendo!

—Se reunirá con usted una vez —prosiguió Brenda—. Después, si está usted de acuerdo con sus condiciones, querrá fijar algunas citas futuras para desvelarle el Secreto.

—¿Condiciones? —preguntó Joe, abatido. Estaba seguro de que esas «condiciones» incluirían una tarifa brutal o un anticipo que no podría permitirse. Incluso aunque pudiera, era posible que exigiera unas credenciales de alto nivel, que evidentemente él no tenía. ¿Valdría la pena siquiera ir? ¿O debería minimizar sus pérdidas y buscar una manera educada de echarse atrás?

—Por supuesto —contestó—. Oh, y… ¿cuáles son esas condiciones?

—Eso tendrá que decírselo directamente el Viejo —repuso ella, soltando una risita.

Joe anotó la dirección que la mujer le facilitó, barbotó su agradecimiento y colgó. En menos de veinticuatro horas iba a reunirse con… ¿Cómo le había llamado ella?… ¡El Viejo!

¿Y por qué se habría reído al decirlo?

# 2
# El Secreto

A la mañana siguiente Joe llegó a la dirección que Brenda le había indicado y entró con el coche en el gran camino de entrada de forma circular. No pudo por menos que sentirse impresionado mientras aparcaba y contemplaba la hermosa mansión de piedra que se alzaba cuatro pisos por encima de él. Soltó un silbido entre dientes. ¡Menuda chabola! Era evidente que aquel tipo tenía fuerza, ¡vaya si la tenía!

La noche anterior, Joe había hecho los deberes. Una hora de consultas en Internet le permitió averiguar algunas cosas muy interesantes sobre la persona con la que iba a reunirse.

Aquel hombre al que llamaban «el Presidente» había gozado de una carrera repleta de éxitos dentro de una amplia gama de empresas. Ahora, casi jubilado de todas las empresas de su propiedad, dedicaba la mayor parte de su tiempo a enseñar y a hacer de mentor de otras personas. Estaba muy solicitado como asesor de los directores ejecutivos de las empresas incluidas en la lista Fortune 500, y como orador principal en los acontecimientos de alto nivel en el mundo de la empresa. Se había convertido en una especie de leyenda. Un artículo le había calificado de «el secreto mejor guardado del mundo de los negocios».

«¡Esto es lo que yo llamo fuerza! —pensó Joe—. ¡Influencia a granel, vamos!»

—¡Joe! ¡Bienvenido!

Un hombre esbelto, con bastantes canas en su cabello oscuro

cuidadosamente peinado, y vestido con una camisa azul cielo, una chaqueta gris claro y pantalones del mismo color con una raya perfecta, estaba al otro lado de la gran puerta de roble. «En torno a los sesenta —pensó Joe—, quizás incluso cincuenta y tantos.» La edad de aquel hombre era un detalle que no había podido proporcionarle su búsqueda en Internet.

Su patrimonio neto era otro dato que se le escapaba, pero estaba clarísimo que era estratosférico. El castillo que tenía ante sus ojos confirmaba aquella impresión, al igual que la presencia imponente y elegante de aquel individuo. A juzgar por su expresión risueña, era evidente que aquel «Bienvenido» no era una mera fórmula cortés, sino que lo decía sinceramente.

—Buenos días, señor —le saludó Joe—. Gracias por dedicarme un poco de su tiempo.

—De nada… y gracias por exactamente el mismo motivo —repuso Píndaro, sonriendo de oreja a oreja mientras le estrechaba con firmeza la mano. Joe le devolvió una sonrisa un tanto sorprendida, mientras pensaba: «¿Por qué me da las gracias?»

—Vamos a la terraza a tomar una taza del famoso café de Rachel —sugirió el anfitrión de Joe mientras le conducía por un estrecho sendero de pizarra que rodeaba la mansión—. ¿Le sorprende estar aquí?

—En realidad, sí —admitió Joe—. Me estaba planteando cuántas leyendas del mundo de los negocios le abrirían la puerta de su casa a un perfecto desconocido un sábado por la mañana.

Píndaro asintió mientras seguían avanzando por el sendero.

—La verdad es que la gente de éxito hace esto constantemente. Suele pasar que, cuanto más éxito tienen, más dispuestos están a compartir con otros su secreto.

Joe intentó con todas sus fuerzas creer que algo así pudiera ser cierto.

Píndaro le miró detenidamente y luego volvió a sonreír.

—Las apariencias engañan, Joe. De hecho, casi siempre lo hacen.

Siguieron caminando un instante en silencio antes de que Píndaro añadiera:

—En cierta ocasión compartí escenario con Larry King... ya sabe, el presentador de radio y televisión.

Joe manifestó su asentimiento.

—Y teniendo en cuenta que ha entrevistado a tantísimas personas famosas, gente con éxito, poderosa, pensé que estaría bien confrontar mis propias observaciones con las suyas. «Larry —le dije—, ¿sus invitados realmente son tan buena gente como parece? ¿Incluso las grandes superestrellas?» Se me quedó mirando fijamente y me respondió: «Pues le voy a decir algo: lo más interesante es que cuanto mayor es su éxito más agradables son».

Había algo en la voz cálida y áspera de Píndaro que contribuyó a que Joe se sintiera a gusto desde la primera frase que le oyó pronunciar. Ahora identificó el porqué: era la voz clásica de un narrador.

Píndaro prosiguió:

—Bueno, pues Larry se quedó un momento pensando en lo que había dicho y luego añadió algo: «Creo que una persona es capaz de alcanzar determinado grado de éxito sin ser particularmente especial. Pero para ser realmente grande, para alcanzar ese tipo de éxito estratosférico del que estamos hablando, la gente necesita tener algo dentro, algo que sea genuino».

Cuando llegaron a la mesa situada en la terraza, Joe echó un vistazo a su alrededor... y logró a duras penas contener un respingo. Más allá de la ciudad, que se extendía a sus pies hacia el oeste, se veía una larga cadena de montes, parcialmente envuelta en nubes algodonosas. Aquella vista le dejó sin aliento.

Se sentaron y la joven a la que Píndaro se había referido con el nombre de Rachel apareció con una jarra de su «famoso» café. Mientras les llenaba las tazas, Joe pensó: «Susan no va a creerme cuando le hable de este lugar». A su esposa sólo le había dicho que iba a reunirse «con un cliente potencial». Sonrió al pensar la expresión que le iluminaría el rostro cuando le contase semejante aventura.

—¡Caray! —exclamó Joe—. Larry King, ¿eh? Por cierto, este café es espectacular. ¿De verdad es famoso el café de Rachel?

—En esta casa sí —corroboró Píndaro sonriendo—. No me gustan las apuestas, pero si apostase algo, ¿sabe qué sería?

Joe negó con la cabeza.

—Apuesto que un día será famoso en todo el mundo. Rachel es muy especial. Hará un año que está con nosotros, pero espero que nos abandone dentro de poco. La he estado animando para que abra una cadena de cafeterías. Su café es demasiado bueno como para no compartirlo con el mundo.

—Sí, entiendo lo que dice —dijo Joe, inclinándose hacia delante y adoptando su mejor estilo confidencial, «de hombre a hombre»—. Si lograra reproducir esta calidad a escala industrial, podrían ustedes tener un negocio impresionante.

Volvió a reclinarse contra el respaldo y dio otro sorbo a su taza.

Píndaro dejó la taza sobre la mesa y se quedó mirando a Joe pensativamente.

—En realidad, Joe, en el tiempo del que disponemos esta mañana, me gustaría empezar por ahí, por la forma diferente que tenemos de enfocar la creación de riqueza; usted y yo venimos de dos direcciones distintas, y si vamos a recorrer juntos este camino, hemos de empezar apuntando en una misma dirección. Si se da cuenta, yo dije «compartir» su café, mientras que usted dijo «tener un negocio». ¿Ve la diferencia?

Joe no estaba seguro de verla, pero se aclaró la garganta y dijo:

—Sí, creo que sí.

Píndaro sonrió.

—Por favor, no me entienda mal. Ganar dinero no tiene nada de malo. De hecho, no lo es ni siquiera ganar mucho. Lo que pasa es que no es un objetivo que te permita tener éxito. —Al detectar en la expresión de Joe su desconcierto, alzó una mano indicándole que se lo iba a explicar—. Usted quiere comprender el éxito, ¿verdad?

Joe se mostró de acuerdo.

—Muy bien. Ahora voy a compartir con usted mi Secreto de los Negocios.

Píndaro se inclinó levemente hacia delante y pronunció una sola palabra:

—Dar.

Joe esperó a ver si decía algo más, pero aparentemente Píndaro no pensaba hacerlo.

—¿Perdón?

Píndaro sonrió.

—¿Dar? —repitió Joe.

Píndaro mostró su aprobación.

—¿Ése es el secreto de su éxito? ¿El Secreto de los Negocios? ¿Dar?

—Correcto —dijo Píndaro.

—Ah —repuso Joe—. Bueno, eso es… es…

—Es demasiado sencillo, incluso si fuera cierto, lo cual es imposible, ¿verdad? —le preguntó Píndaro—. ¿Es eso lo que está pensando?

—Algo así —admitió Joe, algo avergonzado.

Píndaro asintió.

—La mayoría reacciona igual que usted. De hecho, casi todo el mundo se echa a reír cuando escucha que el secreto para obtener el éxito es dar. —Tras una pausa, añadió—: También es cierto que la mayoría de personas no tiene tanto éxito como el que querría tener, ni siquiera de lejos.

Por supuesto, Joe no podía discutirle aquel comentario.

—Verá —prosiguió Píndaro—, la mayoría de personas funciona con una mentalidad que le dice a la chimenea: «Primero dame un poco de calor y luego ya te echaré unos leños». Por supuesto, la cosa no funciona así.

Joe frunció el ceño, intentando analizar la lógica del ejemplo que le había puesto Píndaro.

—¿Lo ve? No puede ir en dos direcciones a la vez. Intentar tener éxito haciendo que el dinero sea su objetivo es como pretender circular por una autopista a ciento veinte por hora con los ojos pegados al retrovisor.

Dio otro sorbo reflexivo al café y esperó a que Joe procesara aquella idea.

Joe sentía que el cerebro le iba a ciento veinte por aquella autopista hipotética…, pero marcha atrás.

—Vale —dijo lentamente—. Así que lo que me está diciendo es que la gente con éxito se concentra en lo que… da, comparte, lo que sea. —Vio que Píndaro asentía y continuó—: ¿Y eso es lo que les proporciona el éxito?

—¡Exactamente! —exclamó Píndaro—. ¡Ahora apuntamos en la misma dirección!

—Pero… ¿eso no da pie a que un montón de gente se aproveche de ello?

—Una pregunta excelente —repuso Píndaro, dejando la taza sobre la mesa e inclinándose hacia delante—. La mayoría de nosotros ha crecido viendo el mundo como un lugar que contiene tesoros inagotables. Es un mundo de competencia en lugar de co-creación. —Viendo que Joe volvía a estar perplejo, explicó—: Perro come perro. Como el caso de «Ah, sí, en apariencia todos actuamos con mucha educación, pero seamos sinceros: cada cual va a lo suyo». ¿Esto resume bien la idea para usted?

Joe admitió que realmente sí que captaba la esencia de la cuestión. Al menos, era lo que él pensaba.

—Muy bien —dijo Píndaro—, pues resulta que no es cierto. —Captó la mirada escéptica de Joe y continuó—: ¿Alguna vez ha oído decir «Uno no puede tener siempre lo que quiere»?

Joe sonrió.

—¿Se refiere a la canción de los Rolling Stones?

Píndaro sonrió.

—La verdad es que supongo que la gente ya decía algo así antes de la época de Mike Jagger. Pero sí, ésa es la idea general.

—No irá a decirme que *eso* no es cierto, ¿verdad? ¿Qué realmente sí conseguimos lo que deseamos?

—No —repuso Píndaro—, eso sí es verdad. En la vida, no solemos conseguir lo que queremos. Pero —añadió, volviendo a echarse hacia delante mientras suavizaba la voz para darle un tono más enfático— esto es lo que uno consigue: uno obtiene lo que espera obtener.

Joe volvió a fruncir el ceño, intentando evaluar mentalmente la verdad contenida en ese último pensamiento.

Píndaro se recostó en la silla y dio un sorbo al café, observando a Joe. Tras un momento de silencio, siguió diciendo:

—O dicho de otra manera: uno consigue aquello en lo que se centra. ¿Ha oído la expresión «Quien mal anda mal acaba»?

Joe expresó su asentimiento.

—Pues es verdad, y no sólo se refiere a quien busca problemas, sino a la vida en general. Busque problemas y los encontrará. Busque que las personas se aprovechen de usted, y por lo general lo harán. Considere que en el mundo impera la ley de la selva, y siempre encontrará a un pez gordo que le mire como si fuera usted su próximo almuerzo. Busque lo mejor que hay en las personas, y se sorprenderá al ver el grado de talento, ingenuidad, empatía y buena voluntad que descubrirá en ellas.

»En última instancia, el mundo le trata más o menos de la manera en que usted espera que le trate.

Píndaro hizo una pausa para dejar que Joe asimilara esa afirmación, y luego añadió otra:

—De hecho, Joe, se quedaría de piedra si supiera cuánto tiene que ver usted en todo lo que le pasa.

Joe respiró hondo.

—Entonces —dijo, enunciando lentamente su siguiente conclusión, pensando en voz alta—, lo que me está diciendo es que la gente no se aprovecha de quien no espera que se aprovechen de él. Que cuando alguien no se centra en el egoísmo y en la codicia, aun cuando esté rodeado de ambas cosas, éstas no tienen una gran influencia sobre su persona, ¿no? —Entonces tuvo una imagen inspiradora y añadió—: Es como el sistema inmunitario sano: la enfermedad nos rodea, pero no enfermamos.

Los ojos de Píndaro relucían.

—¡Espléndido! Ésa es una manera perfecta de expresarlo. —Siguió hablando mientras garrapateaba en un pequeño cuaderno que había sacado de la americana—. Tengo que recordar esa frase. ¿Le importa que use una conclusión tan brillante?

—No, adelante —dijo Joe, con un gesto de magnanimidad—, aproveche mi brillantez. A mí me sobra. —Tras una pausa, continuó—: Al menos eso es lo que dice siempre mi mujer.

Píndaro soltó una carcajada mientras volvía a guardarse el cuaderno en el bolsillo interior de la americana. Puso las dos manos sobre las rodillas y miró directamente al hombre más joven.

—Joe, me gustaría hacer algo con usted. Me gustaría enseñarle lo que yo llamo mis Cinco Leyes para el Éxito Estratosférico. Eso si puede dedicarme algún tiempo. Digamos…, una hora cada día durante una semana.

—¿En serio? —casi barboteó Joe—. ¿Durante una semana? Yo… yo no sé de cuánto tiempo puedo disponer…

Píndaro sacudió la mano en un gesto vago, como si dijera «El tiempo no es importante».

—Eso no es problema. Lo único que necesitamos es una hora diaria. La hora de comer. Se toma un tiempo libre para el almuerzo cada día, ¿no?

Joe asintió, pasmado. ¿Que aquel tipo se iba a reunir con él cada día durante toda una semana? ¿Y que le iba a transmitir los detalles de su Secreto de los Negocios más valioso?

—Pero antes —prosiguió diciendo Píndaro— tendrá que aceptar mis condiciones.


A Joe le dio un vuelco el corazón. ¡Las condiciones! Se había olvidado por completo de ellas. Brenda le había dicho que sólo después de aceptar las condiciones de Píndaro podrían fijar ulteriores encuentros.

Joe tragó saliva.

—En realidad, no dispongo de los medios...

Píndaro alzó las manos.

—Por favor, no se preocupe. La cosa no va por ahí.

—Entonces —insistió Joe—, ¿tengo que firmar una CDC o...?

La pregunta hizo que Píndaro soltara una carcajada estruendosa.

—No, nada de claúsulas de confidencialidad. No, más bien sería lo contrario. Si llamo a mis Cinco Leyes el Secreto de los Negocios, no es porque no quiera que la gente las descubra, sino exactamente por todo lo contrario. Las llamo así para que la gente las busque y las pueda descubrir. Así les darán el valor que les corresponde. Porque en realidad éste es un término de honor.

—¿Perdón? —Joe estaba perdido.

Píndaro sonrió.

—La propia palabra, *secreto*. Originariamente significaba algo que se atesoraba, que se cribaba, se pesaba y se apartaba debido a su valor especial. En realidad, si por mí fuera, todo el mundo conocería las Cinco Leyes.

»De hecho —añadió—, precisamente ése es el motivo de que haya fijado estas condiciones. En realidad, sólo se trata de una condición. ¿Está listo?

Joe asintió.

—Quiero que esté de acuerdo en que probará de una forma práctica todas las leyes que le enseñe. No quiero que reflexione sobre ellas, ni que hable de ellas, sino que las aplique en su vida.

Joe empezó a asentir, pero Píndaro le detuvo y siguió hablando:

—Y eso no es todo. Tendrá que aplicar cada ley inmediatamente, el mismo día que la aprenda.

Joe se quedó mirando a Píndaro como si éste le estuviera tomando el pelo.

—¿En serio? ¿Antes de acostarme esa noche? ¿Y si no me convertiré en una calabaza?

La expresión de Píndaro se relajó en una sonrisa.

—No, tiene razón, no se convertirá en una calabaza. Pero si no acepta mi condición, nuestras reuniones acabarán.

—No quiero parecer impertinente —balbuceó Joe—, pero, si no la cumplo, ¿cómo se va a enterar?

—Ésa es otra pregunta excelente. ¿Cómo iba a saberlo? —preguntó Píndaro, asintiendo reflexivamente—. No me enteraría. Pero usted sí. Es el sistema del honor. Si no encuentra la manera de aplicar cada ley que le enseñe el mismo día en que la aprenda, confío en que a la mañana siguiente llame a Brenda para cancelar nuestras citas pendientes.

Se quedó mirando a Joe.

—Tengo que saber que se tomará esto en serio. Pero hay algo mucho más importante: también debe saberlo usted.

Joe mostró su conformidad lentamente.

—Creo que lo entiendo. Quiere asegurarse de que no le hago perder el tiempo. Me parece justo.

Píndaro sonrió.

—No se ofenda, pero usted no tiene ese poder.

Joe puso cara de estar confuso.

—Quiero decir, la capacidad de hacerme perder el tiempo. Soy el único que puede hacer tal cosa y, para serle sincero, es un vicio al que renuncié hace mucho tiempo. El motivo en el que se basa mi condición es que no quiero verle a usted perder su tiempo.

Joe bajó la vista y vio que Píndaro tenía la mano extendida hacia él. Él la tomó y se la estrechó con firmeza. Sintió que le recorría un escalofrío de emoción, como si acabara de embarcarse en una aventura digna de Indiana Jones, y devolvió la sonrisa que vio dibujarse en el rostro del Presidente.

—Trato hecho —dijo.

# 3

# La Ley del Valor

Aquel lunes, justo antes del mediodía, Joe llegó a la gran mansión de piedra ansioso por ver qué le depararía aquel encuentro. Lo único que sabía era que se iba a reunir con Píndaro y con un amigo suyo, un magnate del sector inmobiliario que había aceptado hablar a Joe de la Primera Ley del Éxito Estratosférico.

Joe aún tenía dudas sobre aquel asunto del «dar», y se planteaba si ese Secreto de los Negocios contendría alguna técnica que realmente pudiera serle útil.

«Pero está claro que a Píndaro le funciona», reflexionaba mientras conducía por el camino de entrada, ancho y bordeado de árboles. Y no se trataba solamente del currículum de aquel hombre y de su magnífica residencia. «Píndaro irradia éxito —pensaba—. No es sólo el dinero, es algo mucho más poderoso que el dinero.»

Durante todo el fin de semana no había pensado en otra cosa, y aun así todavía no lograba identificar qué era aquel «algo».

Mientras Joe rodeaba el final circular del camino de acceso y se acercaba a la escalinata de piedra vio que Píndaro le estaba aguardando. Antes de que le diera tiempo a apagar el motor, éste abrió la puerta del pasajero y se metió en el vehículo.

—¿Le importa que vayamos en su coche? No quiero llegar tarde a la reunión.

Joe sintió una punzada de decepción. Al final resultaba que no iba a volver a probar el famoso café de Rachel.

—Aquí tiene —dijo Píndaro mientras se abrochaba el cinturón de seguridad y le daba a Joe una taza rebosante de café negro y caliente—. Puede ir disfrutándolo durante el trayecto.

Veinte minutos después llegaron al centro de la ciudad y aparcaron frente al Iafrate's Italian-American café. Era evidente que se trataba de algo más que una cafetería, porque el restaurante estaba atestado y aun así había cola frente a la puerta.

Mientras avanzaban hacia el edificio, alguien que se quejaba de lo lleno que estaba el local les adelantó dándole un leve empellón a Píndaro. Joe se quedó sorprendido al ver que éste se limitaba a sonreír al hombre.

En cuanto entraron por la puerta, el *maître* se acercó a ellos y les condujo hasta una mesa en un rincón.

«Claro —pensó Joe—, Píndaro tiene que ser un VIP en este restaurante.»

—Gracias, Sal —dijo Píndaro. El *maître* se inclinó ligeramente ante él y le guiñó un ojo a Joe. A éste le impactó darse cuenta de que Píndaro era tremendamente amable con todo el mundo y, mientras ocupaban sus asientos, se lo comentó.

—Nunca es malo ser amable con las personas —contestó Píndaro—. Una vez, cuando era joven, me dirigía a pie a casa de una chica para nuestra primera cita. ¡Estaba nervioso! Al doblar la esquina de su calle, un hombre mayor que yo chocó conmigo; nos dimos un cabezazo y me pisó un pie. Se sintió avergonzado por no haber mirado por dónde iba, y preocupado por si me había hecho daño. «No ha sido nada —le aseguré—. Me han dicho que tengo la cabeza muy dura. ¡Espero no haberle hecho daño!» Aquel hombre se rió, sorprendido. Le deseé un día estupendo y me apresuré para no llegar tarde a la cita con mi chica.

»Al cabo de un cuarto de hora de haber llegado a su casa, oí cómo se abría la puerta de entrada. "¡Papá! —dijo la chica—. Ven, quiero presentarte a mi pareja."

Píndaro se detuvo y miró a Joe como esperando que éste concluyese la anécdota.

Y él así lo hizo.

—Déjeme que lo adivine: era el hombre que le había embestido.

—Eso es —asintió Píndaro—. Volvía de una visita rápida al colmado. Felicitó a su hija por su buena elección y le dijo que yo era un joven prudente y educado.

—Así que podríamos decir que su relación empezó con buen pie —observó Joe.

Píndaro se echó a reír.

—Sí, es cierto. Y además siguió igual de bien. Aquella joven tan guapa ha sido mi esposa durante casi cincuenta años... ¡Ernesto! —exclamó al ver a uno de los cocineros que se acercaba a ellos—. *Buon giorno, caro!*

El corpulento individuo le sonrió y se sentó con ellos a la mesa.

—¿Vas a presentarme a tu nuevo amigo? —preguntó Ernesto, con una voz que aún conservaba un fuerte acento del norte de Italia.

—Ernesto, éste es Joe. Joe, Ernesto.

Se acercó un camarero joven que traía un par de cartas, pero antes de que Joe o Píndaro pudieran decir una sola palabra, Ernesto se volvió hacia el joven y le soltó una retahíla de frases musicales en italiano. El camarero desapareció en silencio por donde había venido.

—Ernesto —dijo Píndaro—, cuéntale a mi amigo cómo empezaste a trabajar aquí.

El hombre miró a Joe y le dijo:

—Vendía bocadillos de salchicha.

Joe parpadeó.

—¿Perritos calientes?

—Llegué aquí... humm, debe hacer más de veinte años —prosiguió Ernesto—, y cuando vine era un joven muy iluso.

Tenía ahorrado el dinero suficiente para comprar un carrito de perritos calientes y pagar la licencia para explotarlo. En realidad, ahora que lo pienso, ¡la licencia me costó más que el carrito!

Píndaro soltó una risita, y Joe tuvo la impresión clara de que había escuchado la misma historia muchas veces.

—Al principio fue muy duro —contó Ernesto—, pero tenía algunos clientes fijos, que fueron corriendo la voz. Al cabo de unos años, incluyeron una mención a mi pequeño carrito en la guía anual *Lo mejor de la ciudad*.

El chef se detuvo para echar un vistazo hacia la parrilla.

—¡Vaya! ¿En serio? —dijo Joe—. ¿El mejor puesto de perritos de toda la ciudad? Es estupendo.

Píndaro sonrió y, amablemente, le corrigió:

—No, la mejor experiencia gastronómica de la ciudad al aire libre.

Ernesto alzó ambas manos en un ademán que expresaba modestia y se encogió de hombros.

—Se portaron bien conmigo.

—Pero… —balbuceó Joe— ¿cómo lo consiguió? A ver, no quiero ofenderle, pero ¿cómo es posible que un puesto de perritos calientes desbanque a los prepotentes restaurantes con terraza de esta zona?

Ernesto volvió a encogerse de hombros, en un gesto casi teatral, mientras movía las cejas y los hombros como diciendo: «¿Y yo qué sé?» Echó una mirada a Píndaro.

—¿Sería suerte? —dijo. Volvió a echar un vistazo a la parrilla y añadió—: *Scusi un momento…* —Se puso en pie y se alejó de la mesa.

—Todo un personaje —comentó Joe mientras veían a Ernesto desaparecer por la puerta que llevaba a la cocina.

Píndaro estuvo de acuerdo.

—¡Vaya si lo es! Ahora Ernesto es el chef principal de este restaurante.

—¿De veras? —preguntó Joe.

—De veras —repuso Píndaro—. De hecho, el restaurante es suyo.

—¿En serio? —inquirió Joe, intrigado.

El camarero acudió y les puso delante la comida, y Píndaro le dio las gracias. Se llevó a la boca la primera cucharada de berenjena al parmesano, cerró los ojos y dejó escapar un gruñido de placer:

—Ernesto es un artista...

—Sí, es delicioso —admitió Joe. Mientras seguía comiendo, pensó en cómo le gustaría aquel lugar a Susan. Los dos hombres comieron en silencio durante casi un minuto antes de que Píndaro volviera a decir algo.

—En realidad, Ernesto es propietario de media docena de restaurantes. Además tiene propiedades por valor de varios cientos de millones. Y el origen de todo eso fue un puesto de perritos calientes.

A Joe se le cayó el tenedor de plata de la mano. Miró a Píndaro, que seguía saboreando su plato.

—¿Éste es el hombre al que hemos venido a ver? El magnate inmobiliario, ¿es él?


Ernesto se encaminaba de vuelta a la mesa cuando Píndaro le susurró a Joe:

—Una cosa muy útil que vale la pena recordar es que a veces las apariencias engañan. —Se hizo a un lado para dejarle espacio al chef y añadió—. La verdad es que casi siempre engañan.

Ernesto ocupó el asiento contiguo al de Píndaro. Durante el cuarto de hora siguiente, los dos hombres le ofrecieron a Joe una historia rápida de su carrera profesional.

La reputación del joven Ernesto Iafrate había ido creciendo hasta que le «descubrieron» algunos ejecutivos, que abandonaron los locales más clasistas para almorzar en el pequeño puesto de salchichas situado en la acera cercana.

Aunque Ernesto no solía hablar de sí mismo, uno de aquellos clientes habituales —un hombre al que Ernesto llamaba simplemente «el Conector» (Joe anotó mentalmente preguntarle más tarde a Píndaro quién era aquel personaje misterioso)— se enteró de que el italiano tenía formación como chef. Impresionados por la aguda inteligencia para los negocios del joven y por su devoción excepcional al servicio, algunos de aquellos ejecutivos organizaron un grupo de inversión y le respaldaron económicamente para que abriera su propio restaurante.

—Y al cabo de unos pocos años —intervino Píndaro— su pequeño café dio tantos beneficios que saldó la deuda que tenía con nosotros y, además, nos proporcionó unos ingresos extra.

Y no se había detenido ahí. Tras montar una serie de restaurantes en la zona, Ernesto comenzó a invertir parte de sus ingresos en las propiedades adyacentes a los restaurantes. Con el paso de los años se convirtió en uno de los propietarios inmobiliarios más importantes de la ciudad.

Mientras iba escuchando esta historia, Joe pensó que Ernesto tenía una faceta que él no había descubierto a primera vista. Bajo aquella fachada tan jovial, expansiva y propia de un italiano, subyacía una poderosa capacidad de concentración y una firme intención. En cuanto Joe lo descubrió, le pareció fascinante. Empezó a entender por qué aquel pequeño grupo de ejecutivos había invertido en el futuro de Ernesto.

Joe se dio cuenta de que Píndaro había enfatizado la palabra «experiencia» por un motivo. Lo que había catapultado a aquel joven a la popularidad no fueron los perritos calientes, sino la persona que los servía. No era la comida, sino la experiencia gastronómica. Ernesto había conseguido que comprar un perrito caliente fuera una experiencia inolvidable.

Sobre todo para los niños, como comentó Píndaro.

—Siempre se me ha dado bien recordar los nombres de los niños —explicó Ernesto.

—Y recordar la fecha de sus cumpleaños —prosiguió Píndaro—. Y sus colores favoritos, sus personajes de cómic y los nombres de sus mejores amigos. —Miró a Joe y enfatizó la siguiente palabra—: Etcétera.

Ernesto volvió a encogerse de hombros de aquella manera tan característica.

—¿Qué le voy a decir? Me gustan los niños.

Los niños empezaron a llevar a sus padres al pequeño puesto de salchichas. Pronto los padres comenzaron a llevar a sus propios amigos. Luego resultó que a Ernesto se le daba tan bien recordar los gustos de los adultos como los de los pequeños.

—A todo el mundo le gusta que otros le aprecien —dijo Ernesto.

—Y ésa es la Regla de Oro de los negocios —agregó Píndaro—: «Si no surgen imprevistos...

Ernesto concluyó la frase:

—... la gente hace negocios con aquellas personas a las que conoce, que le gustan y en quienes confía, y se las recomendarán a otros».

Se volvió para mirar a Joe.

—Dígame, ¿qué distingue a un buen restaurante de un restaurante excelente? ¿Por qué a algunos restaurantes les va bien el negocio mientras que a unos pocos, como éste, les va estratosféricamente bien?

—Desde luego, porque la comida es mejor —repuso Joe sin dudarlo.

La risa complacida de Ernesto llenó el reservado. Hizo que algunas cabezas se girasen en su dirección y que por el comedor se extendiera una ola de sonrisas, como las ondas en un estanque.

—¡Aaah, *mille grazie, signore*, es usted una persona con buen gusto! Pero tengo que admitir que, aunque nuestra comida es muy buena, hay como media docena más de restaurantes, dentro de las tres manzanas en torno a éste, que tienen una comida tan excelente como la nuestra. Sin embargo, en las noches en que tienen más clientela no llenan ni la mitad de las mesas que nosotros. ¿A qué cree que se debe?

Joe no supo qué responder.

—Un mal restaurante —prosiguió Ernesto— intenta ofrecer la cantidad justa de comida y servicio, tanto en cantidad como en calidad, que justifique el dinero que pagará el cliente. Un buen restaurante se esfuerza por ofrecer la máxima calidad y cantidad a cambio del mismo dinero.

»Pero un gran restaurante… ¡Aaah, un gran restaurante lucha por desafiar a la imaginación! Su objetivo es proporcionar una calidad de comida y de servicio superior a la que pudiera pagar cualquier cantidad de dinero. —Miró a Píndaro y luego de nuevo a Joe—. ¿Le ha dicho el Viejo que le iba a enseñar sus Cinco Leyes?

Joe lo confirmó, anhelante. ¡Estaba a punto de aprender la Primera Ley del Éxito Estratosférico!

Ernesto volvió a mirar a Píndaro.

—¿Se lo cuento?

—Por favor —repuso éste.

Ernesto se inclinó hacia delante y dijo, con un susurro propio de un conspirador:

*Tu verdadero valor se define*
*por cuánto mayor es el valor que ofreces*
*respecto al beneficio que obtienes.*

Joe no estaba seguro de qué responder. ¿Dar más valor del que justifican tus ingresos? ¿Ése era su gran secreto?

—Lo siento, no lo entiendo —confesó—. A ver, entiendo de dónde ha salido usted, y su historia es realmente… bueno, es increíble. Pero, sinceramente, ¡eso me suena a una receta para ir a la bancarrota! Es como si estuviera intentando no ganar dinero.

—No, en absoluto —dijo Ernesto, meneando un dedo—.

«¿Produce beneficios?» no es una mala pregunta; es una pregunta estupenda. Lo que pasa es que como primera pregunta es incorrecta. Hace que usted salga en la dirección equivocada.

Dejó que Joe meditara esto durante unos instantes y luego continuó:

—La primera pregunta debería ser: «¿Sirve a otros? ¿Les aporta valor?» Si la respuesta a esa pregunta es sí, entonces puede seguir adelante y preguntarse: «¿Produce beneficios?»

—En otras palabras —dijo Joe—, si superas las expectativas de las personas, éstas te pagarán más.

—Ésa es una forma de verlo —contestó Ernesto—, pero la idea central no es que le paguen más, sino darles más. Hay que dar, dar, dar. ¿Por qué? —Volvió a encogerse de hombros—. Porque a usted le gusta hacerlo. No es una estrategia, es una forma de vida. Y cuando lo hace —añadió con una gran sonrisa—, empiezan a pasar cosas muy, pero que muy provechosas.

—Un momento —lo interrumpió Joe—. Así que empiezan a pasar «cosas muy provechosas», pero me parece que acaba de decir que no hay que pensar en los resultados.

—Correcto —concedió Ernesto—, así es. Pero ¡eso no quiere decir que no vaya a haberlos!

—Y no cabe duda de que los hay —añadió Píndaro—. Las grandes fortunas de este mundo las han amasado hombres que sentían una mayor pasión por lo que ofrecían —ya fuera un producto, un servicio o una idea— que por lo que obtenían. Y muchas de esas fortunas las han despilfarrado otros que estaban más interesados por lo que sacaban que por lo que daban.

Joe intentó asimilar todo lo que había escuchado. Parecía tener sentido, al menos cuando lo decían aquellos dos personajes. Pero, tal y como lo veía él, aquello no encajaba con su propia experiencia.

—Me cuesta bastante entender cómo...

—¡Ah! —terció Píndaro, levantando el dedo índice y cortando en seco la frase de Joe.

Joe palideció.

—¿Qué?

Ernesto sonrió. Se inclinó hacia Joe y le dijo:

—¿Le ha hablado este señor de su…, bueno, ya sabe, de su condición?

Joe se quedó confundido unos instantes y luego lo entendió.

—¡Ah, claro! La condición…

Píndaro sonrió.

—No se trata de entender. Se trata de hacer.

Joe suspiró.

—Vale —aceptó—. Tengo que encontrar la manera de aplicarlo… —Miró a sus compañeros de mesa y añadió—: o me convertiré en una calabaza.

Los dos hombres se echaron a reír alborozados, y Joe sintió que también su rostro se relajaba al esbozar una sonrisa. Durante un momento, había olvidado su búsqueda secreta de la fuerza y la influencia.

Píndaro ya se había puesto en pie.

—Hemos de irnos. Este joven tiene que volver a su trabajo.

—¿A quién va a ver mañana? —le preguntó Ernesto a Joe.

Éste se quedó mirando a Píndaro.

—Mañana, a un genio de la autenticidad —repuso Píndaro—. La directora ejecutiva.

—Aaaah… —dijo Ernesto, asintiendo—, la directora. Muy bien, pero que muy bien. Mantenga las orejas abiertas, joven.

¡La directora ejecutiva! Joe intentó imaginarse qué tipo de persona sería.

## LA PRIMERA LEY

# LA LEY DEL VALOR

*Tu verdadero valor se define por cuánto
mayor es el valor que ofreces respecto
al beneficio que obtienes.*

# 4

# La Condición

Mientras regresaba solo en el coche a su oficina, tras dejar a Píndaro en su casa, Joe sentía que la cabeza le daba vueltas. No dejaba de pensar en frases sueltas del almuerzo, de reexaminar la historia de Ernesto y de intentar dilucidar el misterio subyacente en su meollo. Sabía que la clave estaba ahí, en alguna parte; simplemente, él no lograba captarla.

Hasta el momento, las Cinco Leyes del Éxito Estratosférico parecían más algo que Joe hubiera podido sacar de *Mr. Rogers**
que de Warren Buffett.

«Hay que dar, dar, dar. ¿Por qué? Porque a usted le gusta hacerlo. No es una estrategia, es una forma de vida.»

Mientras rumiaba esos pensamientos, Joe sentía como un tironeo en lo más profundo de su mente. No fue sino hasta que estuvo sentado delante de su mesa, inmerso en la rutina habitual, que se dio cuenta de qué era aquel pensamiento que tanto le incordiaba.

*Fuerza e influencia.*

¡La cuota del tercer trimestre! Tenía que encontrar una manera de conseguir la cuenta G. K. antes del viernes. ¿Sus reuniones con Píndaro le ponían más a tiro aquel objetivo? Recordó su primer encuentro con él el sábado anterior...

Y soltó un gemido lastimero.

La Condición.

---

* Se refiere a la serie infantil de televisión [*Mister Roger's Neighborhood*] creada y presentada por Fred Rogers, y que se emitió en Estados Unidos de 1968 a 2001. *(N. del E.)*

Joe paseó la mirada por sus compañeros de trabajo, como si le inquietara que alguien pudiera haber oído su gruñido o incluso sus pensamientos. La Condición. Se suponía que debía aplicar la Ley del Valor inmediatamente, antes de que acabara el día.

Pero ¿cómo?

Entonces sonó el teléfono inalámbrico, y Joe lo cogió con un movimiento brusco.

— Hola, aquí Joe.

— Hola, Joe, soy Jim Galloway.

A Joe le dio un vuelco el corazón cuando escuchó el tono de disculpa que embargaba la voz de Jim. Galloway era un abogado con el que trataba de vez en cuando. Habían jugado al tenis algunas veces, partidos de dobles con Susan y con la esposa de Jim. Era una buena persona. Por el tono de su voz, Joe adivinó que le llamaba para darle la noticia de que su empresa no iba a obtener la renovación del contrato con la empresa multinacional a la que Jim representaba.

—Lo siento, colega, lo intenté. Dijeron que necesitan a alguien con mayores vínculos en el extranjero. No tuve más remedio que ceder. No había gran cosa que pudiera hacer.

Primero la cuenta G. K., ¡y ahora esto! Joe tuvo cuidado de no manifestar su desaliento en su tono de voz.

—No te preocupes, Jim. Otra vez será. —Inició el gesto de colgar el auricular, pero luego volvió a pegárselo a la oreja y dijo—: ¿Hola? ¿Jim? —Aguardó un instante y luego escuchó la voz al otro extremo de la línea.

— ¿Joe?

—Sí, Jim… Espera un segundo, por favor.

Extendió la mano y abrió el cajón de debajo de su mesa, donde guardaba un pequeño archivo con las tarjetas de negocios de la competencia estratégica. Aquellas tarjetas representaban a las personas que él tenía la misión de derrotar día tras día. Después de rebuscar un poco, encontró lo que andaba buscando.

Se quedó mirando la tarjeta y pensó: «Dar más en valor, ¿eh? Vale, pues allá vamos».

—Jim... Oye, prueba con Ed Barnes, B-A-R-N-E-S. Me he enterado de que tiene una posición fuerte en el extranjero... Sí, es de la competencia. Pero he pensado que a lo mejor está en disposición de ayudaros. —Joe no sabía si echarse a reír o a llorar escuchando las palabras que le salían de la boca—. No, no me debes nada, Jim. Sólo espero que os sea de ayuda. Lamento no haberos podido ser de utilidad en esta ocasión.

Colgó el teléfono, dejó el auricular en la mesa y se quedó mirándolo, alucinado por lo que acababa de hacer.

—¿Jim me deja tirado... y le recomiendo a alguien? —murmuró—. ¿Y, además, le entrego un buen negocio en bandeja de plata a uno de la competencia?

Levantó la vista y vio a Gus en la puerta de su despacho, observándole. Gus le sonrió y le saludó con la cabeza.

Joe contestó al saludo y se volvió a meter de lleno en su trabajo.

# 5

# La Ley de la Compensación

Cuando al mediodía del día siguiente Joe apareció ante el mostrador de la recepción de Learning Systems for Children, Inc., le recibió una mujer corpulenta de algo más de sesenta años en cuya mesa había una gran placa de latón donde se leía: «MARGE».

—Ha venido a ver a la directora, ¿no? —gorjeó la mujer y, sin esperar respuesta, extendió la mano—. Soy Marge.

—Sí —repuso Joe, estrechando la mano que le ofrecían. Echó un vistazo nervioso alrededor, preguntándose dónde estaría Píndaro—. ¿Llego demasiado pronto?

—¿Lo dice por su amigo, el señor Píndaro? Me dejó un mensaje, diciendo que vendrá enseguida. No se preocupe. Le llevaré a la sala de conferencias. Nicole pasará a verle dentro de un momento, con una taza de Joe... —se echó a reír al darse cuenta de su *lapsus*— ¡de café!

Joe siguió a la mujer por un pasillo muy iluminado. Ella abrió la puerta de la sala de conferencias, y cuando Joe se dispuso a cruzar el umbral, se detuvo en seco. Pero ¿qué narices?

Aquello no se parecía en nada a ninguna de las salas de conferencias que había visto en su vida.

Pensaba encontrar una larga mesa de caoba, pulida y abrillantada, equipada con el último grito en monitores de videoconferencia. En lugar de ello, la habitación estaba repleta de mesitas de madera cubiertas de plastilina, limpiapipas de todos los colores, montones de cartulinas y una gran variedad de lápices de cera. Pegada a la pared había una serie de caballetes que sostenían dibujos hechos por niños con pintura para dedos. En las paredes había más dibujos hechos con la misma técnica.

Pero lo que hizo que Joe se quedara con la boca abierta no fue la decoración de la sala: fue el desorden que imperaba en ella.

Dentro de la sala había en torno a una docena de personas, con una franja de edad entre los veinte y los sesenta años más o menos; estaban de pie, charlando y riendo todas a la vez, participando con gran entusiasmo en lo que a Joe le pareció el delirante proyecto de ponerlo todo patas arriba. Algunos mezclaban al tuntún trozos de plastilina, otros dibujaban trazos de pintura con los dedos sobre los caballetes. Una mujer contemplaba el inescrutable montón de limpiapipas que sostenía en una mano, con una expresión tan grave como la de Hamlet mirando el cráneo de Yorick.

Joe se quedó pasmado. No sabía cómo, había saltado del mundo de la cultura empresarial a un aula de parvulario.

—¡Vaya! —exclamó Marge y, sin pestañear, se limitó a cerrar la puerta y a conducir a Joe, pasillo abajo, a la habitación siguiente, indicándole con la mano que la siguiera—. Supongo que será mejor ir a otra sala de conferencias.

Todavía pasmado, Joe se las arregló para mascullar un «gracias» a la mujer mientras ésta cerraba la puerta a sus espaldas.

Joe se encontró en una sala más o menos equipada como la anterior. Caminó lentamente hacia el centro de la habitación, maravillándose ante la tremenda exuberancia y la energía desatada de las pinturas que cubrían las paredes.

La puerta se abrió produciendo un leve chasquido. Joe se dio la vuelta y se encontró delante de una joven sonriente. Captó un aroma familiar y una vaharada leve de calor, y vio que la mujer llevaba una jarra de cristal llena de café expreso.

—Hola, soy Nicole —dijo la joven, lanzándole una sonrisa tan deslumbrante que él casi sacó las gafas de sol—. ¿Tú debes ser Joe?

Él asintió.

—Píndaro nos ha llamado; llegará en un par de minutos. ¿Quieres tomar un poco de café mientras esperas? Probablemente será el mejor que hayas probado en tu vida.

—Sí, por favor. Gracias —dijo Joe, que ya había conseguido encontrar su voz. Mientras Nicole le llenaba una taza, echó un vistazo por la habitación y preguntó—: Así que ¿de verdad me voy a reunir con la directora?

—Eso es lo que he oído, sí —repuso ella.

—Sí, ya, pero... ¿es aquí donde nos vamos a reunir?

Ella miró a su alrededor.

—Es un poco diferente, ¿no?

—Un poco —admitió Joe—. Es... inesperado.

—Gracias —contestó ella.

Joe la miró, sorprendido.

—¿Has tenido algo que ver con esto?

Ella paseó la mirada por la habitación, deteniéndose con aprobación en cada detalle.

—Sí, fui yo quien diseñó la decoración y la responsable de que las cosas estén organizadas así.

—Déjame que lo adivine... ¿Tienes niños?

Ella soltó una risa que a Joe le sonó dulce como la miel.

—¿Que si tengo? ¡Parece que millones de ellos! —Al ver la expresión de Joe volvió a reírse—. Escuela primaria. Soy maestra —le explicó—. Bueno, al menos lo era antes de trabajar aquí.

Él volvió a mirar las paredes.

Nicole sonrió.

—Lo creas o no, en esta habitación se reúnen adultos, y trabajan duro. No te puedes ni imaginar lo que puede hacer la pintura para dedos y la plastilina por un montón de adultos colapsados.

—Supongo que así es... —dijo Joe. Señaló con un movimiento de cabeza la habitación de al lado y preguntó—: Así que ¿eso era una...? —Esforzándose por encontrar una forma de concluir la pregunta, Joe pensó «¿Era una... qué?»—. ¿Un grupo muestra o algo así? ¿Padres?

Nicole sonrió.

—No, los de la otra sala de conferencias eran los ejecutivos de mayor rango de marketing de la empresa. Están participando en una tormenta de ideas para abrir el siguiente grupo de mercados en el extranjero.

¿Los ejecutivos de mayor rango? Antes de que Joe pudiera decir algo más, escuchó el leve sonido de la puerta que se abría y aquella voz rasposa y cálida propia de un narrador.

—¿Hola? —Píndaro entró en la sala, se acercó a la joven y le estrechó la mano con gran calidez—. ¡Nicole! Muchas gracias por dedicar un poco de tiempo para recibir a mi joven amigo. ¡Le dije que le convenía hablar con un auténtico genio!

La mujer se sonrojó.

¿Un auténtico genio? Joe hizo lo que pudo por ocultar su sorpresa. ¡Estaba conversando con la directora!

—Nicole —continuó Píndaro—, te presento a Joe, mi amigo más reciente. Joe, Nicole Martin. Ella dirige una de las empresas de *software* educativo con más éxito de todo el país.

—Pero... ¡si eres muy joven! —dijo Joe, sintiéndose un poco tonto al hacer este comentario, pero ¡es que la mujer parecía tener su misma edad!

—No soy tan joven como mis clientes —repuso ella sonriendo.

Píndaro se sentó con las piernas cruzadas sobre una de las mesitas de madera bajas y empezó a rebuscar dentro de una gran bolsa de papel que llevaba.

—Comercializamos una gama de programas educativos para sistemas escolares por todo Estados Unidos, Canadá y otros trece países —explicó Nicole—. Pero no te preocupes —añadió, mostrando una vez más su sonrisa radiante—, uno de estos días vamos a crecer muchísimo.

Mientras Nicole hablaba, Píndaro sacó de la bolsa tres bocadillos, cada uno de ellos cuidadosamente envuelto en papel de parafina, seguidos de tres botellines de cristal de agua mineral.

—Muy bien, niños y niñas —anunció—. ¡Es la hora de almorzar!


Mientras tomaban los bocadillos que había traído Píndaro, Joe escuchó la historia de Learning Systems for Children y de su fundadora, Nicole Martin.

Ésta había sido una maestra de primaria de gran talento. A los padres de sus alumnos les gustaba su forma de abordar la enseñanza, y los niños la adoraban. Pero Nicole no era feliz. Se sentía limitada por un sistema diseñado para enseñar a los niños solamente a memorizar y a recitar luego lo aprendido, pero sin asimilarlo.

Con el paso del tiempo, Nicole fue diseñando una serie de juegos que activaban la creatividad de los niños y su curiosidad intelectual. Le encantó descubrir que sus ideas les ayudaban a crecer y a aprender. Pero le frustraba el hecho de no poder ayudar a más de veinte o veinticinco niños a la vez. Además, el sueldo de maestra le permitía llegar a fin de mes, nada más.

—Imagino que ya conoces la Primera Ley del Éxito Estratosférico, ¿no? —le preguntó a Joe.

—«Tu verdadero valor se define por cuánto mayor es el valor que ofreces respecto al beneficio que obtienes» —repuso éste.

—Estupendo —dijo ella—. ¡Sobresaliente! Pero cumplirla no significa necesariamente que aumentarán los beneficios que obtengas.

Joe se sintió aliviado al oírla decir esto. Él mismo había pensado lo mismo el día anterior, cuando escuchaba a Ernesto exponer su ley.

—La Primera Ley determina lo valioso que eres —prosiguió Nicole—. En otras palabras, tu éxito potencial, cuánto podrías ganar. Pero la Segunda Ley es la que determina cuánto ganas de verdad.

Un día, mientras estaba conversando con el padre de un alumno, Nicole había mencionado cuánto les gustaban a los niños los juegos que ella había inventado, y lo mucho que parecían beneficiarse de ellos. Como sabía que aquel padre era ingeniero informático, le preguntó si podía contratarle para que le echara un vistazo a sus ideas, a ver si podrían adaptarse a un programa de ordenador. Él estuvo de acuerdo.

A la semana siguiente, Nicole se reunió de nuevo con el diseñador de *software*, y esta vez llevó consigo a la madre de otro alumno, una mujer que dirigía una pequeña empresa de marketing y publicidad. Pocos días después, los tres formaron una nueva empresa.

Nicole logró reunir un capital inicial gracias al amigo de un amigo, al que ella se refirió simplemente como «el Conector». («¡Otra vez el Conector!», pensó Joe. Pensó que debía preguntarle a Píndaro al respecto.) Al cabo de pocos años, su empresa novel de *software* ingresaba más de doscientos millones de dólares en ventas anuales por todo el mundo. Como fundadora y directora de Learning Systems for Children, Inc., Nicole también se dedicó a la asesoría para sistemas educativos, técnicas de enseñanza en el hogar e investigaciones pedagógicas de todo el país.

—Learning Systems for Children espera poder influir en las vidas de entre veinte y veinticinco millones de niños —señaló—. Y en pocas palabras ésta es la Segunda Ley, la Ley de la Compensación:

> *Tus ingresos están determinados*
> *por el número de personas a las que sirves*
> *y por la calidad del servicio que les prestas.*

Hizo una pausa y luego añadió:
—O, dicho de otra manera, «Tu compensación es directamente proporcional al número de personas a las que sirves».

Nicole se sentó y acabó en silencio su bocadillo, dando a Joe la oportunidad de ir asimilando la Ley de la Compensación. Al cabo de un breve silencio, él empezó a pensar en voz alta:

—¿Sabes? —observó—, siempre me ha parecido injusto que las estrellas de cine y los deportistas de elite cobren esos sueldazos. O que los directores y fundadores de empresas puedan amasar semejantes beneficios. No es por ofender... —añadió apresuradamente.

Ella asintió amablemente y le indicó con un gesto que prosiguiera.

—Pero las personas que hacen un trabajo tan magnífico, una labor tan noble, como los maestros de escuela, nunca reciben el sueldo que merecen. Eso siempre me ha parecido demasiado arbitrario. Pero lo que me estás diciendo es que no sólo es una cuestión del valor de la persona, sino del impacto que su trabajo produce.

Nicole y Píndaro intercambiaron una mirada breve y exultante, encantados al ver la rapidez con la que Joe había asimilado aquella ley.

—¡Exacto! —exclamó Nicole—. Y en todo este asunto hay dos cosas sorprendentes. Primero, significa que debes ser tú quien determine tu grado de compensación, porque está bajo tu control. Si quieres más éxito, encuentra la manera de servir a más personas. Es así de sencillo.

Joe se quedó pensando en ello durante un instante y luego le preguntó.

—¿Y la otra cosa sorprendente?

—También significa que no existe límite para lo que puedes ganar, porque siempre encontrarás nuevas personas a las que ofrecer tus servicios. En cierta ocasión, el reverendo Martin Luther King, Jr., dijo: «Todo el mundo puede ser grande, porque todos podemos servir». Otra forma de decir lo mismo sería: «Todo el mundo puede tener éxito, porque todos podemos dar».

Píndaro observaba a Joe atentamente. Entonces dijo:

—Quiere preguntar algo, ¿verdad?

Joe se lo confirmó y le preguntó a Nicole:

—Tengo curiosidad por aquella primera reunión con el padre que era informático y la madre que tenía la empresa de marketing. ¿No se te ocurrió pensar que podían quedarse con tu idea y montar su propio negocio?

Nicole puso cara de sorpresa.

—¿Quedarse con mi idea?

—Quiero decir robártela. Apropiarse de la idea y dejarte fuera del proyecto.

Nicole sonrió.

—Para serte sincera, ni se me pasó por la cabeza. Lo único que pensaba en aquel momento era que podríamos beneficiar a muchos niños. —Se quedó pensativa, y luego se echó a reír arrepentida—. Pero sí que pasé por un periodo interesante de adaptación. Fue entonces cuando empecé a comprender de verdad la Ley de la Compensación.

»Una vez fui consciente de lo mucho que podía crecer esta empresa, estuve a punto de sabotearlo todo. Recuerdo que de repente me puse nerviosa.

—¿Por qué? ¿Te preocupaba que se te fuera de las manos y se viniera todo abajo?

Ella se echó a reír.

—No, más bien todo lo contrario. Tenía miedo de que se me fuera de las manos y tuviera un éxito desbordante.

»Cuando era pequeña, siempre me decían que en este mundo hay dos tipos de personas: las que se enriquecen y las que hacen el bien. Mis creencias me decían que puedes ser de un tipo o del otro, pero nunca de los dos al mismo tiempo.

»Las personas que se enriquecen lo hacen aprovechándose de los demás. Las personas que realmente se preocupan por los demás y les ofrecen un servicio (policías, enfermeras, voluntarios y, por supuesto, maestros) son buena gente, pero nunca podrán ser ricos; eso sería una contradicción. Al menos, eso es lo que creí toda mi vida.

Joe estaba fascinado.

—¿Y qué paso?

—Me di cuenta de que mis compañeros trabajaban muy duro. Vi cuántas vidas de niños estábamos cambiando para siempre. Y entendí que mi antigua forma de pensar era un verdadero obstáculo. No estaba sirviendo. Así que decidí cambiarla.

—¿Lo decidiste sin más? —preguntó Joe.

—Sí. Lo decidí.

—¿Es posible hacerlo? —insistió Joe.

—Todo el mundo puede hacerlo —sonrió ella, percibiendo la mirada escéptica de Joe—. ¿Nunca te has inventado una historia?

Él echó una mirada a la sala de juegos/conferencias. Recordó sus días en la escuela de primaria y se echó a reír.

—¡Claro que sí! Montones.

—Pues tu vida funciona de la misma manera —repuso ella—. Inventas tu vida. Ser pobre o rico son decisiones que tomas. Tú las inventas, justo aquí dentro —dijo tocándose la sien con un dedo—. Todo lo demás es, simplemente, el modo en que se desarrolla lo que has inventado.

Joe recordó la conversación que había tenido el sábado por la mañana con Píndaro. «Obtienes aquello en lo que te concentras.»

De repente Joe escuchó un tremendo «¡Bieeen!» que provenía de la sala de conferencias de al lado, seguido de un «¡Hurra!» estruendoso que luego se deshizo en risas aisladas y aplausos.

Nicole sonrió.

—Creo que acabamos de definir nuestro plan de marketing para Asia y el Pacífico.

Píndaro se puso en pie, recogió los envoltorios y los botellines del almuerzo y, antes de darse cuenta, Joe le estaba estrechando la mano a Nicole y dándole las gracias por su tiempo.

—¿Qué tienes en la agenda para mañana, Joe?

Él le echó una mirada interrogativa a Píndaro.

—Mañana visitaremos a Sam —anunció él.

—¡Aaah! —repuso Nicole—. Sam te va a encantar.

—Sam es el asesor financiero de Nicole —explicó Píndaro—. Y mío también.

Mientras Píndaro daba un fuerte abrazo a Nicole y se despedía de ella, Joe paseó la vista por la habitación. Se fijó en los caballetes y los tubos de pintura para dedos, la plastilina, la cartulina y todos los demás utensilios propios de una guardería, y de repente se le ocurrió algo. «Inventan historias —pensó—. Se sientan en este cuarto e inventan historias. Las pintan, las modelan y luego hacen que sucedan por todo el mundo... ¡con un beneficio de doscientos millones de dólares!»

«Inventas tu vida», había dicho Nicole.

## LA SEGUNDA LEY

# LA LEY DE LA COMPENSACIÓN

*Tus ingresos están determinados
por el número de personas a las que sirves
y por la calidad del servicio que les prestas.*

# 6

## ¿Un café?

Mientras salían de la ciudad, ambos hombres permanecieron en silencio. Un amigo de Píndaro le había llevado a Learning Systems for Children, de modo que ahora Joe le llevaba de vuelta a su casa. Píndaro parecía complacido de ver pasar el paisaje, dejando que Joe se concentrase en sus propios pensamientos.

Igual que había hecho después del almuerzo con Ernesto, Joe se puso a repasar su conversación con Nicole Martin, intentando comprender todo lo que había escuchado.

¿Qué hacía que aquella joven hubiera tenido un éxito tan aplastante? ¿Era algo tan sencillo como lo que ella había definido como la Ley de la Compensación?

Cuando Joe entró por el camino de acceso a la casa de Píndaro para dejarlo, Rachel estaba en la puerta de entrada, sosteniendo un paquetito. Píndaro salió del vehículo de un salto y Joe se inclinó hacia la puerta abierta del pasajero para decirle a Rachel:

—¡Un almuerzo estupendo! ¡Muchas gracias!

Ella se acercó al coche y entregó el paquete a Joe.

—De nada.

El aroma traicionó de inmediato el contenido: era medio kilo del famoso café de Rachel, recién molido para éle.

Mientras iba de camino al trabajo, pensó en Nicole Martin, directora de la guardería-sala de juntas, y se preguntó de qué manera podría él aplicar la Ley de la Compensación. Aún daba vueltas a esos pensamientos cuando apretó el botón «ARRIBA» del ascensor que le llevó hasta la séptima planta de la Clason-Hill Trust.

Aquella tarde, Melanie Matthews estaba sentada, concentrada por completo en sus informes de final de trimestre, cuando se sorprendió al oler un aroma delicioso. Alzó la vista y se quedó pasmada al ver a Joe con una taza de café recién hecho y humeante para ella.

—Café con leche a partes iguales, con un azucarillo —dijo Joe mientras colocaba la taza cuidadosamente sobre la mesa.

Así era exactamente cómo le gustaba a Melanie el café, aunque no recordaba habérselo mencionado a Joe en ninguna ocasión. ¡Y aquel aroma tan increíble! Le dio las gracias y tomó un sorbo.

Era el mejor café que había probado en su vida.

A lo largo de la siguiente media hora, Joe llevó una taza de aquel café caliente y delicioso a todos los trabajadores de la séptima planta. A unos pocos los conocía bien, a otros sólo superficialmente, y a otros nunca los había visto antes. Todos se sintieron igual de sorprendidos y agradecidos al descubrir a aquel joven ambicioso sirviéndoles un café recién hecho mientras ellos se esforzaban por rematar sus informes para la fecha tope del final del trimestre. Uno o dos se quedaron realmente anonadados y, mientras le daban las gracias con un leve gesto, pensaban: «Pero ¿a éste qué le ha dado?»

Cuando Joe regresó a su mesa con la última taza, Gus estaba sentado en su silla, esperándole.

—Gus, ¿te apetece otra taza?

—Gracias, de momento no —dijo el hombre, repantigado en su silla y observando a Joe con curiosidad.

—Vale —dijo éste—. ¿Te acuerdas de aquel hombre por el que te pregunté la semana pasada? Bueno, pues este fin de semana fui a verle.

—Ah —repuso Gus—. ¿Y esto qué es una especie de deberes? Joe se encogió de hombros.

—Más o menos. Ayer tuve que «dar en valor más de lo que obtuve como beneficio».

—Ah. Por eso le diste aquella pista a Jim Galloway.

Joe se sonrojó. Así que Gus le había oído aconsejando al abogado.

—Hoy tenía que «ampliar el número de personas a las que sirvo».

Gus soltó una risita.

—Así que les has servido un café a tus compañeros.

—Eso es —contestó Joe, paseando la vista por la planta—. ¿Crees que con eso le voy a dar la vuelta a las cifras del tercer trimestre?

Gus se le quedó mirando fijamente, pero luego se dio cuenta de que lo decía en broma.

—Eh —añadió Joe—, es que es lo único que se me ocurrió. Además, no es un simple café. Es el famoso café de Rachel.

Gus sonrió y se levantó.

—Me alegro de que fueras a ver a ese hombre, Joe. Dime una cosa.

—Claro. ¿Qué?

Gus echó un vistazo por la oficina.

—¿Cómo te has sentido sirviendo a toda esa gente?

Joe siguió la mirada de Gus, y luego la fijó en los ojos de su interlocutor.

—Si te soy sincero, me he sentido como un imbécil.

Gus volvió a reírse, y luego se inclinó hacia delante y dijo:

—A veces uno se siente tonto, incluso lo parece, pero aun así hace lo que debe hacer.

Y tras decir esto, cogió su americana de *tweed* del perchero situado en la pared exterior de su oficina y se fue a casa.

# 7

# Rachel

Cuando Joe apareció por casa de Píndaro al mediodía del día siguiente, Rachel le acompañó al estudio y le ofreció una taza de café, que Joe aceptó agradecido.

—El Viejo vendrá enseguida —le anunció Rachel, y soltó una risita.

—¿Sabes? —comentó Joe—, creo que es la tercera o cuarta vez que oigo que le llaman «el Viejo». ¿Por qué todo el mundo le llama así? ¿Cuál es el chiste?

Rachel depositó en la mesa la bandejita que llevaba y se apoyó en una de las enormes butacas orejeras.

—¿Cuántos años le echas? —le preguntó.

—Vaya, pues no sé... ¿Cincuenta y ocho, cincuenta y nueve? ¿Quizá sesenta y pocos?

—Casi. —Rachel sonrió—. Tiene setenta y ocho.

—¡No lo dirás en serio! —exclamó Joe.

—Y aunque tiene setenta y muchos, es una de las personas más jóvenes que conozco. ¿Te has dado cuenta de lo lleno de energía y de entusiasmo que está, de su gran curiosidad y... bueno, del interés que siempre siente por todo?

Joe asintió.

—Pero te voy a decir más —prosiguió Rachel—. Hace más, viaja más y consigue más cosas que la mayoría de los hombres que tienen la mitad de su edad. Ninguno de nosotros puede seguir su ritmo.

—¿En serio? —A Joe no le parecía que Píndaro fuera una de esas personas aceleradas—. Pero si siempre parece tan... relajado.

59

Rachel se rió.

—Sí, por supuesto que lo parece. Está relajado. ¿Quién dice que estando nervioso se consiguen más cosas?

Joe tuvo que admitir que ahí tenía razón. Él siempre había dado por hecho que hacer muchas cosas significaba, invariablemente, padecer un alto grado de estrés. Pero también era cierto que conocía a muchas personas que estaban muy estresadas y que, sin embargo, no conseguían tanto como otras.

—¿A quién vas a ver hoy? —le preguntó Rachel.

—A Sam. Su asesor financiero.

—¡Aaah, Sam! —dijo Rachel, sonriendo para sí—. Sam te va a encantar.

—Eso es lo que he oído, sí —corroboró Joe.

—Por supuesto que sí —terció Píndaro, que estaba de pie, sonriente, frente a la puerta del estudio—. ¡A todo el mundo le gusta Sam!

En cuanto escuchó la voz del narrador, Joe sintió que se relajaba. Se dio cuenta de que aquella voz tenía el mismo efecto sobre Rachel. Tuvo la impresión de que era el efecto que tenía en todo el mundo.


Mientras Joe franqueaba con el coche las enormes puertas de hierro forjado para dirigirse al centro de la ciudad, pensó en su breve conversación con Rachel, y le preguntó a Píndaro sobre ella.

Rachel procedía de un barrio humilde, y empezó a trabajar para respaldar económicamente a su familia cuando sólo tenía quince años. Trabajó haciendo de todo: limpió casas; fue jardinera, telefonista, camarera; hizo de cocinera de platos rápidos, de albañil; pintó casas, y muchas otras cosas. Al final, con esa gran diversidad de trabajos logró pagarse la carrera universitaria.

Algunos de los trabajos le gustaron más que otros. Sin embargo, abordó cada uno de ellos como si le encantase. Lo hizo recordándose que, independientemente de lo mucho o de lo poco que la interesara el trabajo, disfrutaba de la oportunidad de sobrevivir, ahorrar y servir.

—¿Sobrevivir, ahorrar y servir? —le interrumpió Joe—. Parece un lema.

—Bien podría serlo —repuso Píndaro—. Son los tres motivos universales para trabajar. Sobrevivir: satisfacer las necesidades básicas cotidianas. Ahorrar: ir más allá de esas necesidades y mejorar la calidad de vida. Y servir: contribuir al mundo que nos rodea.

Joe recordó que Nicole Martin le había hablado del temor inicial que sintió frente al éxito. «No era un servicio», había dicho ella.

—Lamentablemente —continuó Píndaro—, la mayoría de la gente pasa toda su vida concentrándose en el primer motivo. Hay un número más reducido que se centra en el segundo. Pero los pocos que tienen un gran éxito, no sólo desde el punto de vista económico sino en todas las facetas de su vida, mantienen la mirada fija exclusivamente en el tercero.

Sobrevivir, ahorrar y servir. Joe permitió que los tres verbos le dieran vueltas en la mente mientras Píndaro seguía contándole la historia de Rachel.

Hacía cosa de un año, Píndaro había comprado algunos libros en una librería local donde Rachel había ido escalando posiciones hasta colocarse como jefa de la cafetería. Tras comprar los libros, Píndaro hizo una pausa en el local para tomarse un café.

—Acabo de poner una cafetera —le dijo Rachel—. Si no tiene prisa, ¿por qué no se pone cómodo en uno de los sofás de lectura y le llevo una taza en cuanto esté lista?

Rachel tenía muy buena mano para hacer un café realmente maravilloso. Tenía el instinto necesario para elegir, mezclar, tostar y moler los granos y sacarles su máximo aroma y sabor. Tenía la pericia de todo un artesano a la hora de mantener el equilibrio perfecto entre el tiempo y la temperatura. Sabía cómo mantener las máquinas tan limpias que relucían, y libres de cualquier acumulación de aceites amargos; también sabía elegir las fuentes de agua más puras. Su café siempre era delicioso... y el adjetivo se quedaba corto.

—Siempre que alguien le pregunta cuál es su secreto —le dijo Píndaro a Joe—, se limita a reírse y a decir que ella es un octavo colombiana.

Daba la casualidad de que Píndaro y su esposa estaban buscando a alguien que sustituyera a su chef personal, a quien acababan de ofrecerle un puesto al frente de la cocina de un hotel de cinco estrellas. Por lo que a Píndaro respectaba, cualquier persona que supiera cocinar y hacer un café tan excelente era la sustituta perfecta. Además, como Rachel acababa de finalizar su último año en la universidad, estaba disponible.

La contrató aquel mismo día.

Pronto la joven se convirtió en todo un éxito entre el flujo constante de asociados comerciales que pasaban por su casa, incluyendo los directores de algunas de las empresas más grandes del país. Unos pocos hasta le dejaron entrever que pretendían llevarse a Rachel para que trabajase para ellos, pero Píndaro les advirtió, de muy buen humor, que si se les ocurría intentarlo ya no podrían contar con sus servicios como asesor. Un director, después de oír la advertencia, dio un sorbo largo y reflexivo al «famoso» café y murmuró:

—Sí, bueno... Tendré que vivir con ello.

Píndaro soltó una carcajada tras decir esta última frase, y Joe se rió también. Tuvo la sensación de que Píndaro se había dejado parte de la historia en el tintero, pero tendría que esperar. Habían llegado a su destino.

# 8

## La Ley de la Influencia

Situada en las plantas más altas del edificio de oficinas más alto y elegante de la ciudad, la sede regional de la Liberty Life Insurance and Financial Services Company estaba justo en el corazón del distrito financiero.

La mayoría de los veinticuatro pisos del edificio estaban alquilados a empresas punteras de inversores y de abogados de la ciudad. Las plantas veintidós y veintitrés eran las que ocupaba Liberty. Las oficinas de Sam, adonde se dirigían Joe y Píndaro, ocupaban toda la planta veinticuatro.

Tras cruzar la puerta de entrada, Píndaro cumplimentó el trámite de acceso con el guardia de seguridad. Pasaron por un vestíbulo muy bien amueblado y entraron en un ascensor alto y acristalado con una filigrana exquisita, con el suelo de la cabina cubierto con una moqueta mullida y de color azul marino.

—Deben vender un montón de pólizas —susurró Joe.

—Ésta es la sucursal de más éxito de la empresa de servicios financieros más exitosa del mundo —susurró Píndaro a su vez—. Está a punto de conocer a la persona que gestiona más de las tres cuartas partes de todo el dinero que ingresa esta sucursal en particular.


—¡Usted debe ser Joe! —El caballero sonriente y de cabellos blancos estrechó la mano de Joe entre las dos suyas y la sacudió vigorosamente. Su voz sonaba como la bisagra oxidada de una cancela—. Ya era hora de que el Viejo me trajese a alguien con quien me resultase divertido hablar. ¡Es un aburrido! —añadió, dándole una palmada en el hombro a Píndaro.

Mientras Sam se partía de risa y conducía a sus invitados a dos suntuosas butacas de cuero, Joe echó un vistazo a la habitación. La enorme zona de trabajo de la planta veinticuatro se parecía más a un hangar que a una oficina mercantil. El techo abovedado y las grandes claraboyas estaban al menos a seis metros por encima de sus cabezas. A través de las dos vastas paredes de cristal que formaban el perímetro de la oficina situada en la esquina del edificio, Joe podía ver un impactante paisaje montañoso más allá de la ciudad.

Joe dejó de mirar las vistas para concentrarse en la conversación, mientras Píndaro y Sam iban explicándole por turno y brevemente la carrera profesional de éste.

Sam Rosen había empezado trabajando como agente de seguros sin recursos. Con el paso de los años, se labró la reputación de ser un hombre de negocios especialmente honrado. Empezaron a llamarle clientes que le pedían que hiciera de negociador o, en las contrataciones más difíciles, de mediador. Tras convertirse en el mejor vendedor de su empresa, amplió su rango profesional y comenzó a trabajar como asesor financiero versátil para una clientela selecta.

Cuando tenía sesenta y pocos años, volvió a cambiar de marcha. Comenzó a trabajar con organizaciones sin ánimo de lucro, en especial con las que ayudaban a personas con problemas económicos, los sin techo y los hambrientos. Hoy día Sam era el filántropo número uno del estado, y pasaba la mayor parte de su tiempo negociando contratos importantes a favor de entidades benéficas de todo el mundo.

—Cuando lo conocí, hace algo más de treinta años —añadió Píndaro—, ya había amasado cuatrocientos millones de dólares en ventas, muchísimo más que cualquier otro vendedor en toda la historia de su empresa.

—Debe ser usted el mejor vendedor de seguros del mundo —aventuró Joe.

—Debería serlo, sí —asintió Sam—, ¡porque empecé siendo el peor! Cuando mi meta era vender seguros, sólo fracasaba. Durante mis primeros años en el negocio, era como una tortuga patas arriba. Le diré lo que ha dado la vuelta a la situación y me ha colocado donde debía estar...

Joe levantó un dedo y le preguntó:

—¿Me deja que lo adivine? ¿El concepto de dar más en valor de lo que obtenía en beneficios?

—No anda descaminado —le contestó Sam—. Cambiar mi punto de vista de lo que podía sacar a lo que podía ofrecer fue lo que hizo que mi carrera empezara a despegar. Fíjese que he dicho «empezara». Pero en un negocio como el mío (de hecho, en cualquier tipo de negocio) también hay que saber cómo desarrollar una red de contactos.

Miró directamente a Joe y le preguntó:

—¿Entiende lo que quiero decir con eso?

De hecho, Joe estaba pensando en ese mismo momento que las redes comerciales eran algo que él conocía a fondo, pero la pregunta le cogió desprevenido y, rápidamente, negó con la cabeza.

—No... Quiero decir, sí, creo que sí. —Hizo una pausa—. Pero seguro que no —concluyó, poco convencido.

Los ojos de Sam brillaron con una luz cálida.

—El Viejo tenía razón una vez más. Me dijo que usted me caería bien.

Joe se puso colorado.

Sam continuó:

—Al hablar de una red no me estoy refiriendo necesariamente a sus clientes. Me refiero a una red de personas que le conozcan, le aprecien y confíen en usted. Es posible que nunca le compren nada, pero siempre le tendrán en mente. —Se inclinó hacia delante y habló dando más énfasis a sus palabras—: Son personas que se han comprometido personalmente a que usted tenga éxito, ¿lo entiende? Además, por supuesto, eso se debe a que usted hace lo mismo con ellas. Son su ejército de embajadores personales.

»Cuando tenga reunida una fuerza de embajadores personales, le llegarán clientes que ellos le enviarán con más rapidez de lo que pueda gestionarlos.

Joe siempre se había considerado un buen profesional a la hora de crear redes de contactos, pero ahora empezó a replantearse todos sus contactos de negocios y las redes que había organizado. «Un ejército de embajadores personales.» ¿Describía esa frase su red? Todas las personas a las que conocía, ¿estaban «comprometidas en que él tuviera éxito»?

¿Acaso esa descripción se adecuaba a alguna de ellas?

Sam volvió a intervenir, esta vez hablando en voz baja.

—¿Quiere saber qué convierte en una realidad ese tipo de red, Joe?

Éste alzó la vista y la clavó en los ojos de Sam.

—Sí —contestó.

La mirada del anciano se mantuvo fija en la de Joe.

—Deje de llevar la cuenta.

Joe parpadeó.

—¿Qué... qué quiere decir?

Sam se repantigó en su silla de nuevo.

—Pues precisamente eso. Deje de llevar la cuenta. Eso no es crear redes, es póquer. ¿Ha oído hablar del «ganar-ganar», ¿verdad?

Joe asintió.

—Se trata de que las dos partes salgan ganando.

Sam asintió.

—Sí, es correcto, y además suena muy bien... en teoría. Pero la mayoría de las veces, lo que la gente llama «ganar-ganar» no es más que una forma sutil de llevar la cuenta. Es una manera de asegurarse de que todos salimos ganando lo mismo, que nadie saca ventaja. Te he rascado la espalda, de modo que ahora me debes un favor. —Meneó la cabeza, apenado—. Cuando uno fundamenta una relación, ya sea de negocios o en cualquier otra faceta de su vida, en quién debe qué a alguien, eso no es ser un amigo, sino un acreedor.

Joe recordó lo que había dicho por teléfono el viernes anterior: «¡Venga, Carl, me debes una! ¡Sabes que es así! ¡Eh!, ¿quién te salvó con la cuenta de Hodges?»

Sam volvió a inclinarse hacia delante.

—¿Quiere conocer la Tercera Ley del Éxito Estratosférico?

Joe manifestó su asentimiento.

—Tengo mucho interés, sí.

—Cuide a la otra parte. Analice sus intereses. Olvídese del cincuenta-cincuenta, hijo. Ese sistema está abocado al fracaso. La única proposición ganadora es el cien por cien. Intente que sea la otra persona la que se beneficie, luche por lo que quiere. Olvídese de ganar a toda costa, y céntrese en los intereses del otro.

»Aquí la tiene, Joe: la Tercera Ley, la Ley de la Influencia:

*Tu influencia está determinada*
*por la medida en que antepones los intereses*
*de los demás a los tuyos.*

Joe la repitió lentamente.

—Tu influencia está determinada por la medida en que antepones los intereses de los demás a los tuyos...

Sam sonrió y se mostró de acuerdo.

Joe vaciló, miró a Píndaro y luego de nuevo a Sam.

—Me parece un principio muy noble —observó—, pero no acabo de entender...

Sam le miró comprensivamente.

—¿No acaba de entender cómo esa ley conduce al éxito?

Aliviado, Joe lo admitió.

—Exacto.

Sam miró a Píndaro e hizo un gesto con la cabeza en dirección a Joe, como diciendo: «Cuéntaselo tú».

Píndaro intervino:

—Si antepone los intereses de los demás a los suyos, siempre verá satisfechos sus propios intereses. Siempre. Hay quien llama a esto «el interés iluminado por uno mismo». Averigüe qué necesitan los demás, confiando en que, cuando lo sepa, obtendrá lo que usted necesita.

Sam asintió y observó a Joe, que intentaba asimilar esa idea, y luego le dijo:

—Dígame, si le preguntara a gente que piensa que nos ayuda a tener influencia, ¿qué cree que diría?

Joe respondió sin ninguna vacilación:

—El dinero, la posición. Quizás un historial profesional lleno de éxitos importantes.

Sam expresó su acuerdo sonriendo.

—¡Ja! Tiene razón, eso es exactamente lo que dirían... ¡y demostrarían haberlo entendido al revés! Esas cosas no crean influencia, es la influencia la que crea esas cosas.

»Y ahora usted sabe qué las genera.

Joe parpadeó.

—¿Anteponer los intereses ajenos a los propios?

La sonrisa de Sam era beatífica.

—Ahora nos vamos entendiendo.


Joe siguió a Píndaro al ascensor. Uno junto a otro vieron cómo las puertas se cerraban. Mientras empezaban a descender, Píndaro rompió el silencio:

—¿Cómo describiría a Sam?

—Sorprendente. Brillante. Magnético.

—Humm... Magnético. —Píndaro pareció meditar sobre la palabra—. ¿Y a Nicole? ¿La describiría como «magnética»?

Joe tuvo que pensar la respuesta. ¿Qué era lo que la hacía tan extraordinaria?

—No sé, ella es... sí, magnética.

Píndaro sonrió.

—¿Como Sam?

Era difícil imaginar a dos personas más distintas que aquella joven maestra de escuela y el asesor financiero de voz áspera, pero sí, en cierto sentido sí que se parecían mucho. Y no sólo ellos...

—¡Sí! Y Ernesto también, y... —Estaba a punto de decir «y usted también», pero se contuvo. Se quedó mirando a Píndaro—. ¿Qué es lo que tienen? Usted lo sabe, ¿no?

¡*Bing*! Habían llegado a la planta baja. Las puertas se abrieron y Píndaro hizo un gesto con la mano que quería decir: «Después de usted». Mientras atravesaban el majestuoso vestíbulo de mármol, acero y cristal del edificio, Píndaro pronunció una sola palabra:

—Dan.

—¿Eh? ¿Qué pasa con que dan?

—Eso es lo que tienen en común. Que dan. —Miró de reojo a Joe y sonrió—. ¿Alguna vez se ha preguntado qué hace atractivas a las personas? Quiero decir, genuinamente atractivas. Magnéticas. —Empujó la gran puerta de cristal y salieron a la calle, donde reinaba un cálido día de septiembre—. Les encanta dar. Por eso son atractivas. Los que dan atraen.

Caminaron en silencio hacia su coche.

«Los que dan atraen —pensó Joe—. Por eso la Ley de la Influencia funciona: porque te magnetiza.»

## LA TERCERA LEY

# LA LEY DE LA INFLUENCIA

*Tu influencia está determinada
por la medida en que antepones
los intereses de los demás a los tuyos.*

# 9

# Susan

Cuando aquella tarde Joe regresó a su oficina, la encontró sumida en el caos. El sistema informático se había colgado unos minutos y, durante el proceso de reiniciarlo, se habían perdido tres días de registros de cuentas y de correspondencia. Todo el mundo estaba rebuscando afanosamente en archivos e introduciendo en el sistema la información almacenada en copias de seguridad.

Mientras Joe se unía a su equipo y se sumergía en la creciente avalancha de papeles, se le fueron por completo de la mente todos los pensamientos de Sam Rosen, Píndaro y la Ley de la Influencia.

Eran casi las siete cuando al final cerró su maletín, atiborrado de documentos, lo cogió y se dirigió al ascensor.

Se dejó caer en el asiento de su coche, con la mente aún concentrada en el trabajo. Cuando se dio cuenta, veinticinco minutos más tarde, se encontró aparcando en el camino de entrada a su casa.

Apagó el motor y se quedó escuchando el repiqueteo metálico del motor que se iba enfriando. Le hubiera gustado disponer de una llave de contacto que le apagase la mente. ¿Estaría perdiendo el tiempo con aquellas sesiones a la hora del almuerzo, aquellas Leyes del Éxito Estratosférico que supuestamente estaba aprendiendo? Todo aquello, ¿le estaba acercando más a la cuota del tercer trimestre que tanto necesitaba?

Contempló la puerta de su dúplex suburbano y suspiró.

Susan ya llevaría cosa de una hora en casa. Estaría tan cansada como él, y seguro que su tarde habría sido tan dura como la que había tenido él en el despacho.

Encontró a Susan en la cocina, sacando algo del horno. No hacía falta que ella le dijese que llegaba tarde, o que la cena estaba un poco seca; ni que estaba tan cansada que le daba igual tanto lo uno como lo otro. Su lenguaje corporal decía todo aquello y más.

Durante una cena apática se contaron sus problemas mientras cenaban, recogían los platos y los lavaban. Joe quería contarle todo sobre su cita en aquel imponente edificio de Liberty, pero renunció a la idea incluso sin intentarlo.

El sábado anterior, cuando Joe había vuelto a casa y le había contado sus primeras impresiones de Píndaro, Susan se había sentido intrigada. Pero durante la cena del lunes, cuando él quiso contarle la reunión con Ernesto, ella sólo le dijo: «Así que ese tipo es el dueño, ¿no?» Repitió el mismo comentario varias veces, y a Joe le dio la sensación de que no lograba meterse en la historia. Ayer, cuando le empezó a hablar de la sala de conferencias/guardería de Nicole, ella puso los ojos en blanco y dijo: «Estás de broma». No hablaron más del tema.

Joe y Susan habían establecido una especie de regla no escrita. Los dos tenían trabajos muy estresantes y llegaban a casa por la tarde agotados, y trayendo consigo al menos una o dos horas de trabajo pendiente que debían hacer en su hogar. La regla no escrita era la siguiente: «Nos concedemos un máximo de media hora para lamentarnos, ¡ni un minuto más!»

Esa noche, Susan ya había consumido casi del todo su media hora de quejas. Joe estaba sentado en el borde de la cama, haciendo lo posible por mostrarle empatía mientras ella paseaba de un lado a otro y hablaba. Joe suspiró de nuevo, preguntándose qué podría decir para hacerla sentir mejor.

De repente, se dio cuenta de que Susan se había callado, dejando una frase a medias, y le estaba observando.

—Lo siento —dijo ella—. Son casi las ocho y media... —suspiró cansada—. Supongo que soy un pozo sin fondo —añadió, intentando sonreír con desgana—. Sé que tienes trabajo pendiente —dijo, mientras se daba la vuelta y decía, más para ella que para su marido—: Hay que ser justos.

Joe estaba a punto de decir algo, pero se calló.

«Hay que ser justos.» ¿Qué le recordaba esa frase? ¿Y por qué le sonaba tan… mal? «Olvídese del cincuenta-cincuenta, hijo. Ese sistema está abocado al fracaso.» Era Sam quien lo había dicho, por supuesto. «Te he rascado la espalda, de modo que ahora me debes un favor… Eso no es ser un amigo, sino un acreedor.» ¿En eso se había convertido su matrimonio?

Sin pensar en lo que iba a decir, Joe balbució:

—No, Suse, espera. No tengo trabajo.

Ella se dio la vuelta y le miró.

—Por favor, continúa —la instó—. Me gustaría saber lo que pasó. De verdad.


Durante un instante, Susan se lo quedó mirando como si le hubiera dicho que iban a derogar la ley de la gravedad.

—¿En serio?

—Claro —respondió él—. La verdad es que parece un auténtico marrón. ¿Qué hiciste?

Su esposa se sentó en su lado en la cama y le volvió a observar atentamente.

—En serio —insistió él—. Lo mío puede esperar.

Susan volvió a hablar de nuevo sobre su día, sobre un conflicto especialmente desagradable que tenía con una compañera. Al cabo de unos minutos volvió a dejar una frase en el aire y miró a Joe.

Él asintió y esperó a que ella continuara.

Ella se recostó en la almohada y empezó a abrirle el corazón. Le habló de cómo había ido empeorando aquella situación difícil en el trabajo y por qué la afectaba tanto, y le contó que estaba perdida, que no sabía qué hacer. Le explicó cómo la hacía sentirse.

Veinte minutos más tarde, Susan estaba llorando.

Joe se sintió mortificado. La había estado escuchando atentamente, pero ella había hablado de tantísimas cosas y había mencionado tantos problemas que él no estaba seguro de cuál era exactamente el que había motivado su llanto. Daba la sensación de que para Susan todo estaba mal.

Se recostó junto a ella y la rodeó torpemente con el brazo, pero ella siguió llorando. Joe murmuró unas cuantas palabras en un intento de consolarla, sintiéndose un completo idiota.

¿Qué era lo que había dicho Gus? «A veces uno se siente tonto, incluso lo parece, pero aun así hace lo que debe hacer...»

Por fin, el llanto de ella se convirtió en sollozos entrecortados, y luego cesó por completo.

Joe sintió un tremendo alivio. Quizá, después de todo, sus palabras no habían sido tan tontas. O quizás ella estaba reflexionando.

—Eh —le dijo Joe—. Te quiero.

Ella no contestó.

—¿Suse? —insistió él, sacudiéndola suavemente.

Ella se había quedado dormida. No había oído ni una sola de sus palabras de consuelo... se había quedado dormida de tanto llorar.

Sintiéndose inútil y derrotado, Joe se preparó en silencio para acostarse y se metió bajo las sábanas. Envuelto en un dolor sordo motivado por la tristeza de Susan y deseando haber podido hacer algo para aliviarla, al final se quedó dormido.

A la mañana siguiente se despertó sobresaltado y pasó de dormir profundamente a recordar horrorizado una cosa: ¡la lección del día anterior! ¿De qué iba? Sam Rosen, las redes de contactos, un ejército de embajadores personales...

La Ley de la Influencia.

Había ido del trabajo a casa y había pasado la noche sin pensar siquiera en la lección del día anterior, y mucho menos en aplicarla.

Soltando un gruñido, agarró la almohada con la intención de lanzarla al otro lado del cuarto presa de la frustración, pero cuando lo hizo, se dio cuenta de que Susan ya no estaba a su lado en la cama. Echó un vistazo al reloj. Las ocho y cuarto. ¡Se había dormido! Seguramente Susan se habría levantado y se habría marchado sin decirle nada, sin ni siquiera molestarse en despertarle.

Volvió a soltar un gruñido. Se había cargado la lección de Píndaro, llegaba tarde al trabajo y Susan estaba molesta con él. «Tres de tres, Joe», murmuró.

Le vinieron a la mente las palabras de Píndaro. «Si no acepta mi condición, nuestras reuniones acabarán.»

Se obligó a levantarse, con la idea turbadora de llamar a Brenda para cancelar su cita para almorzar con Píndaro.

Entonces miró la almohada de Susan y descubrió una hojita de papel, doblada por la mitad, con una palabra escrita en la cara exterior:

*Cariño.*

¿Cuándo había sido la última vez que Susan le había llamado cariño? Y ya puestos a pensar en ello, ¿cuándo había sido la última vez que su mujer le había escrito una nota? Cogió el papelito y lo desdobló.

*Querido Joe:*
*Espero haber logrado escabullirme sin despertarte. ¡Te mereces descansar un poco más! Después de la paliza que te di anoche…*
*Muchas gracias.*
*Gracias por tu generosidad.*

¿Generosidad? ¿«Querido Joe»? Leyó el resto de la nota.

*No recuerdo haberme sentido jamás tan… escuchada. Tan atendida.*
*Te quiero.*

Joe no entendía nada. ¿Generosidad? ¿Cómo había sido generoso? Volvió a repasar la nota en busca de respuestas.

«Gracias por tu generosidad.»

«No recuerdo haberme sentido jamás tan... <u>escuchada</u>.»

Se restregó la cara, sorprendido. O sea, que en realidad todo aquello no tenía nada que ver con las quejas. Ella sólo quería que él la escuchase. Sólo quería sentirse atendida.

De repente, escuchó en su mente aquella voz que sonaba como una bisagra oxidada: «Deja de llevar la cuenta». Entonces se echó a reír.

¡Sí que había hecho los deberes!

# 10

# La Ley de la Autenticidad

—¿Cómo le ha ido?

Eran las primeras palabras que había pronunciado uno de los dos durante el trayecto de un cuarto de hora a la ciudad.

Igual que el día anterior, cuando no había logrado dejar de pensar en la oficina, ahora a Joe le estaba costando apartar de su mente la nota de Susan y su patética aria de lamentos la noche anterior. La pregunta de Píndaro le cogió desprevenido.

—¿Señor? —Joe pensó que no había llamado «señor» a Píndaro desde su primera reunión.

—Lo de aplicar la Tercera Ley —precisó Píndaro—. ¿Cómo le ha ido?

A Joe se le ocurrió que, hasta ese momento, Píndaro nunca le había preguntado nada en absoluto sobre sus «deberes», ni había intentado comprobar que estaba cumpliendo la condición que le impuso.

Entonces, ¿por qué se lo preguntaba ahora? Una mirada a Píndaro le hizo comprender que no estaba intentando evaluarle. Sencillamente, le preguntaba porque quería saberlo. «Eso es porque sabe que ha pasado algo —pensó—. Algo importante.»

—Fue... Estuvo bien. Vamos, creo si... Para serle sincero, no estoy seguro.

Píndaro asintió, como si la respuesta de Joe tuviera mucho sentido.

—Estas lecciones no sólo se aplican a los negocios, Joe. Un principio válido para los negocios, que sea sólido, se aplica a cualquier faceta de la vida: sus amistades, su matrimonio, lo que sea.

Ésa es la meta fundamental. No se trata de mejorar simplemente su balance económico, sino de mejorar su balance en la vida.

—Supongo que nunca había pensado en eso.

—Se lo recomiendo encarecidamente —dijo Píndaro mirando de reojo a Joe—. Mi esposa y yo llevamos casados casi cincuenta años.

—Cincuenta años —repitió Joe. ¡Cincuenta años! El matrimonio de aquel hombre casi duplicaba la edad de Joe.

—Puede que esto le suene bastante anticuado. —Píndaro volvió a mirarle, como buscando una confirmación de que le comprendía.

—Vale —dijo Joe, asintiendo.

—Creo que existe un motivo, y solamente uno, de que hayamos permanecido juntos durante tanto tiempo y de que seamos tan felices hoy como lo éramos hace cuarenta y ocho años… o incluso más, de hecho. El motivo es éste: me preocupa más la felicidad de mi mujer que la mía propia. Lo único que he querido hacer desde el día en que la conocí es hacerla feliz. Y esto es lo más notable de todo: parece que ella quiere lo mismo, que lo único que le interesa es verme feliz.

—Algunas personas definirían eso como codependencia, ¿no? —aventuró Joe.

—Sí, seguramente algunas sí. ¿Sabe cómo lo llamo yo?

—¿Felicidad?

Píndaro se rió.

—Sí, sin duda. Pero lo que iba a decir es que lo llamo éxito.

Éxito. Joe pensó en su vida con Susan y en cómo había empezado a percibirla como un drama constante de luchas y compromisos. «Olvídese del cincuenta-cincuenta. Ese sistema está abocado al fracaso…»

—Es como lo que dice Sam sobre las redes —comentó.

—Exacto. —Píndaro señaló un edificio—. Hemos llegado.

Joe vio el enorme auditorio que se cernía delante de ellos, y metió el coche en el aparcamiento subterráneo.

La Ley de la Autenticidad

Iban a escuchar al orador que pronunciaría el discurso inaugural de un simposio anual sobre ventas. Era uno de los acontecimientos más importantes de la ciudad, y atraía a participantes de todo el país. Sin embargo, la oradora de hoy era residente de la zona. Se llamaba Debra Davenport.

El auditorio estaba a rebosar, pero Píndaro había reservado dos asientos para ellos al fondo de la inmensa sala. Joe se quedó impresionado al ver la gran cantidad de gente. Calculó que habría al menos unas tres mil personas aguardando para escuchar a la conferenciante.

Y ella no les decepcionó. Después de que el maestro de ceremonias del simposio hiciera una introducción breve y elogiosa, la oradora se acercó al centro del escenario en medio de una ovación de los asistentes, que se pusieron en pie. Ella esperó cortésmente a que se apagaran los aplausos y los asistentes volvieran a ocupar sus butacas.

—Hace doce años cumplí cuarenta y dos —comenzó—. En ese cumpleaños me hicieron tres regalos.

»Uno. Mi mejor amiga me regaló un vale de compra por valor de cien dólares para JC Penny, que en aquella época era el no va más de mis gustos en prendas de vestir. —Hizo una pausa, miró a derecha y a izquierda, y luego se inclinó hacia el público adoptando una actitud confidencial de «entre tú y yo»—. Y por cierto, JC Penney sigue siendo mi favorita en el mundo de la moda.

El comentario fue recibido con una carcajada general y algunos aplausos. Ella sonrió e indicó con un gesto que guardaran silencio.

—Lo que quiero decir es: ¿por qué tirar el dinero en una prenda de vestir de moda, demasiado cara, que el año que viene estará anticuada? ¿Tengo razón? ¿Todas de acuerdo, señoras? —Se dio unos golpecitos en la sien con el índice—. Lo que nos hace hermosas es lo que llevamos dentro, no el envoltorio.

Otra oleada de risas y aplausos sacudió el auditorio.

«Acaba de empezar hace un minuto y ya domina el lugar», se maravilló Joe.

Debra Davenport continuó su alocución.

—Dos. Mis tres hijos reunieron su dinero y le pagaron a su mamá un día de descanso entero en un balneario en el centro de la ciudad. O sea, de los caros. ¡Todo un día! Y lo planificaron hasta el punto de que les quedó suficiente dinero para pagarle a la canguro. De hecho —durante un brevísimo instante, vaciló y pareció a punto de echarse a llorar—, la habían llamado y quedado con ella para que estuviese con ellos todo el día, y todo esto sin que yo supiera nada. Lo cual, teniendo en cuenta lo metomentodo que puede ser su madre, fue un milagro de genio administrativo y de sutileza de alto nivel.

El público se echó a reír y se percibió en la sala una cálida oleada de apreciación por el gesto de los niños.

—Tres. Mi marido me hizo el regalo más inesperado de todos. Me despertó de la manera más impresionante de toda mi vida: salió por la puerta y nunca volvió.

Joe sintió que los presentes contenían el aliento.

—Tardé todo un año en desenvolver, abrir, comprender y utilizar aquel regalo.

Debra paseó la vista por la sala y Joe se dio cuenta de que la iba fijando en los ojos de cada uno de los presentes, no sólo en los de las primeras filas, sino en los de todos los asistentes en el auditorio.

—Hoy quiero compartir ese regalo con cada uno de ustedes.


Durante el siguiente cuarto de hora, la oradora les contó su historia.

A pesar de tener cuarenta y dos años, Debra, que se encontró soltera de repente y con tres hijos a los que alimentar, no había trabajado en su vida. Como madre a tiempo completo, esposa y ama de casa en un hogar ajetreado, había combinado docenas de habilidades y dedicado muchas y afanosas horas a llevar la casa. Pero, tal y como descubrió rápidamente, nada de aquello a lo que se había dedicado los últimos veintitantos años se consideraba comercializable.

—En todos los lugares donde pedía trabajo —dijo al público—, me decían que era demasiado mayor y que carecía de preparación.

Después de que su marido se fuera de la ciudad, ella se pasó los meses siguientes intentando conseguir una licencia para ser agente inmobiliario. Debra aprendía rápido, y superó todos los exámenes a la primera. Los ocho o nueve meses siguientes estuvo muy ocupada aprendiendo e intentando seguir todos los consejos y enseñanzas de los miembros de la empresa.

—Me enseñaron todos los tipos de metodología de ventas y de técnicas de cierre de contrato. Aprendí el cierre directo, el de pacto y concesión, el de fecha tope y el de oferta de prueba. Me enseñaron también el cierre de obsequio y el avergonzado, el típico «si es el mejor momento para comprar» y el «nunca ha sido mejor momento para cerrar un negocio», el cierre de flirteo y el que invita a firmar al cliente para no quedar como un tonto. Me aprendí todos los cierres de la A a la Z.

Hizo una pausa, miró alrededor y luego dijo, con cierta socarronería:

—¡Ah!, no me creen, ¿verdad?

Una oleada de risas recorrió las primeras filas. Joe supuso que eran algunos fans de Debra Davenport que ya sabían lo que pensaba hacer ella a continuación.

—Muy bien, veamos… —Empezó a contar con los dedos—. Estaba el cierre Ahora o Nunca, el cierre de Bienes apalancados, el cierre C. I., el cierre de Calidad, el cierre con Concesión, el cierre de Cláusula Asesina… —La gente de las primeras filas empezó a batir palmas siguiendo el ritmo, una palmada por cada nueva letra del alfabeto—. El cierre por Distracción, el cierre El Dinero no lo es Todo, el cierre Emotivo, el cierre Futuro, el Golden Bridge, el

Humorístico… —Ahora ya era todo el público el que marcaba el ritmo con sus fuertes palmadas—. El cierre Inverso, el cierre Jersey City […], el cierre Para Llevar, el del Perrito, el cierre con Prima, el de Propiedad […], el cierre por Suposición […], el de Valor demasiado Rebajado, el cierre por Vanidad… —Respiró hondo y remató—: El cierre de Ventana de Oportunidad, el cierre Xaviera Hollander, ¡y el Zsa Zsa Gabor!

»¡Madre mía! ¡Eso sí que es aprender a cerrar!

Las palmadas rítmicas se fundieron en una tremenda salva de aplausos mientras todos se reían y aclamaban una actuación tan virtuosa. Ella levantó las manos, con los ojos brillantes, hasta que las risas y los aplausos se extinguieron.

—Y déjenme decirles qué pasó. Al cabo de un año no había vendido ni una triste y miserable vivienda. Y odiaba aquella situación: todos y cada uno de los minutos exasperantes y problemáticos.

La sala estaba en silencio.

—Aquel jueves, cumplí cuarenta y tres años. Para ese cumpleaños, mi mejor amiga me compró una entrada para un simposio sobre ventas. Para serles sincera, no quería ir. Pero ella era mi mejor amiga. —Sonriendo, añadió—: De hecho, todavía lo es —y sonrió mirando a la primera fila, donde Joe adivinó que estaría sentada la mujer en cuestión—. Y, bueno, ¿qué podía hacer? Es una mujer muy persuasiva.

Las risas de un puñado de mujeres sentadas delante confirmaron la sospecha de Joe.

—Asistí al simposio. —Paseó la mirada por la sala, como si de repente se diera cuenta de dónde estaba—. Por cierto, era este simposio. En realidad, estuve sentada donde se encuentran ustedes ahora, un jueves de septiembre por la tarde, como hoy.

»Aquel año, el orador principal era un hombre del que nunca había oído hablar. Habló sobre la importancia de añadir valor a lo que uno vende. "Da lo mismo lo que vendan", nos dijo, "incluso algo tan corriente como seguros o perritos calientes". —Joe sintió un escalofrío al darse cuenta de que la señora Davenport estaba hablando del hombre sentado justo a su lado—. "Sea lo que sea, podrán tener éxito si le añaden valor. Si necesitan dinero, añadan valor. Y si necesitan mucho dinero, añadan mucho valor."

»Los asistentes se rieron cuando le oyeron decir aquello, pero a mí no me parecía gracioso. Estaba sentada al fondo de la sala, sintiéndome fatal con mi vida. No sé cómo, pero tuve el valor de levantar la mano. "¿Sí? ¿La dama del fondo?" Y yo me puse en pie y le dije: "¿Y si uno necesita mucho dinero, pero rápido?" Y él asintió sonriente y me dijo: "Entonces, ¡encuentre una manera rápida de añadir valor a lo que vende!"

El público respondió con un coro de risas amortiguadas.

—Señoras y señores, déjenme que les diga que estuve todo el fin de semana pensando en lo que había dicho aquel orador. Reflexioné mucho sobre el tema. ¿Qué valor podía añadirle yo a un listado de inmuebles elaborado por un *broker* fracasado en un mercado con amplia oferta y poca demanda?

»El domingo por la tarde tuve una revelación. ¿Qué podía añadirle a mi producto? Nada.

»No se me ocurría ni el más pequeño asomo de valor que aquella insignificante Debra Davenport pudiera añadir a su trabajo. Después de un año de intentarlo, había demostrado que no podía aportar ningún tipo de valor. Lo que podía ofrecer a aquellos clientes era… nada.

»Aquel domingo por la tarde tomé una decisión: era el momento de dejarlo.

Hizo una pausa.

—Yo acababa…

Hizo otra pausa, respirando hondo para controlar su emoción. Volvió a darse un toquecito con el dedo en la sien y alzó la vista para contemplar a los presentes.

—Entienden lo que me estaba pasando, ¿no? Cuando mi marido salió por aquella puerta, mi autoestima se fue con él.

Joe se dio cuenta de que cientos de cabezas asentían a su alrededor. La conferenciante estaba hablando de una situación que muchos comprendían.

—Mi marido me había considerado más un lastre que un beneficio. El mercado laboral estaba de acuerdo con él, y era evidente que el mundo de las ventas inmobiliarias también. ¿Quién podía decir lo contrario?

Joe echó un vistazo a su alrededor y vio que más de uno tenía los ojos húmedos. ¿Qué poder misterioso tenía aquella mujer sobre ellos?

Debra Davenport meneó lenta y tristemente la cabeza.

—Un año más tarde seguía sin haber abierto mi regalo de cumpleaños.

Respiró hondo y soltó el aire, como si quisiera disipar aquel estado de ánimo.

—Así que a la mañana siguiente me fui al despacho a recoger mis cosas. Tenía una última cita que no podía eludir, de modo que, por mera obligación, me reuní con la cliente potencial y la llevé en coche a ver la casa. "Ya no hay nada que hacer", me decía a mí misma, "así que ¡qué demonios!" Me permití pasar un buen rato con ella. Archivé todas las técnicas aprendidas. ¡Ni siquiera le enseñé los documentos con las especificaciones técnicas de la vivienda!

Chasqueó la lengua con desaprobación.

—Mientras volvíamos de la visita hablamos un poco de todo, cosas sin trascendencia. ¡Ni siquiera puedo asegurarles que le dijese el precio de la casa! Fue la visita comercial menos profesional, más chapucera, irresponsable y vergonzosa de toda la historia de las inmobiliarias.

Levantó ambas manos en una actitud de exasperación, como diciendo: «¡Qué horror!, ¿eh?»

—Y, como era de esperar, la clienta compró la casa.

Los aplausos tardaron un minuto entero en irse apagando lo bastante como para que la oradora prosiguiera con su historia.

—Aquel día aprendí algo. Cuando decía que mi vida como madre, esposa y ama de casa no me ofrecía nada que sirviera en el mercado, me equivocaba. Había algo que fui aprendiendo con el paso de aquellos años, y era cómo hacer amigos, cómo interesarme por los otros, cómo hacer que la gente se sienta bien consigo misma. Y eso, amigos míos, es algo que el mercado necesita mucho, que siempre ha necesitado y que nunca dejará de necesitar.

»El orador principal de aquel simposio había dicho: "Añadan valor". Yo no podía añadir otra cosa que a mí misma.

»Y, por lo visto, eso era precisamente lo que había hecho fatal siempre.

Hizo una pausa y respiró hondo, concediéndose un instante para apaciguar sus emociones.

—Desde entonces he vendido algunas casas más —continuó, y una oleada apreciativa de risas recorrió al público. Todo el mundo conocía el récord de ventas de Debra Davenport. La expresión «algunas casas más» era probablemente quedarse muy, pero que muy corto.

—Más tarde conocí al marido de aquella mujer a la que le vendí la primera casa, y él me puso en contacto con algunos amigos que se estaban introduciendo en el mercado inmobiliario. Yo dije que nunca se me ocurriría formar parte de él. ¡Me equivoqué otra vez!

El comentario de Debra Davenport «él me puso en contacto con algunos amigos» tocó una fibra suelta en la mente de Joe, algo que hacía días que quería preguntar, pero que hasta el momento se había olvidado de hacer. Se inclinó hacia Píndaro y susurró:

—¿El Conector?

Píndaro sonrió mientras asentía.

«¡Ajá!», pensó Joe. ¡Así que fue Debra Davenport quien le vendió a Ernesto, el emprendedor propietario del restaurante, sus propiedades comerciales valoradas en muchos millones! ¿Cuándo conocería a ese personaje, el Conector?

—… y he tenido el honor de ser nombrada la mejor agente inmobiliaria de la ciudad, tanto en el mercado residencial como en el comercial...

A Joe aún le rondaba algo por la mente. Si era aquel Conector el que había vinculado a Ernesto Iafrate con Debra Davenport, y contribuido a reunir la financiación que necesitaba el negocio de *software* en ciernes de Nicole Martin... Volvió a inclinarse hacia Píndaro y susurró:

—¿Con quién vamos a reunirnos mañana?

Píndaro musitó:

—¡Ah, el invitado del viernes! —Mientras lo decía, asentía para sí—. El invitado del viernes es una sorpresa.

—¿Es el Conector, verdad? —preguntó Joe—. ¿Por fin voy a conocer al Conector?

Píndaro se limitó a sonreír, indicando que no le iba a sonsacar una palabra más.

—... Y durante los últimos años —estaba diciendo Debra Davenport— he recorrido todo el país hablando con grupos de personas como las que están aquí reunidas hoy, y a todos les digo exactamente lo mismo. Estoy aquí porque tengo la tremenda responsabilidad y el honor de venderles algo muchísimo más valioso que una casa.

»Lo que he venido a venderles es a ustedes mismos.

»Señoras y señores, recuerden esto: independientemente de su formación, de sus dones, del área profesional en la que se desenvuelvan, ustedes son el artículo más preciado. Ustedes mismos son el máximo don que pueden compartir con otros.

»Para alcanzar cualquier objetivo es necesario un diez por ciento de conocimiento específico o técnico, un diez por ciento como máximo. El otro noventa por ciento depende de la capacidad de la persona.

»¿Y cuál es el fundamento de toda capacidad humana? ¿Que nos guste la gente? ¿Que nos interesemos por las personas? Esas cosas resultan útiles, pero no son lo esencial. Lo más importante es quiénes son ustedes. Todo empieza con ustedes.

»Mientras sigan intentando ser alguien que no son, representando un papel o una conducta que alguien les ha enseñado, no tendrán ninguna posibilidad real de alcanzar a otras personas. Ustedes mismos son lo más valioso que pueden darles a otros. Da lo mismo lo que crean estar vendiendo: en realidad son ustedes los que siempre se están ofreciendo.

Echó una mirada al fondo de la sala, y Joe se quedó de piedra al darse cuenta de que le estaba mirando directamente a él. O al menos, ésa era la impresión que le daba.

—¿Quieren gozar de grandes capacidades personales? —preguntó, inclinándose hacia el público como si le estuviera contando un secreto a su mejor amiga—. ¿Quieren habilidades personales? —insistió—. Entonces sean personas —añadió, mirando de un rostro a otro—. ¿Pueden hacerlo? ¿Están dispuestos a hacerlo?

Miró de nuevo a derecha e izquierda, clavando su mirada en la de docenas de personas.

—Hay algo que vale miles de veces más que todas las técnicas de cierre que se hayan inventado o que se inventen jamás.

»Se llama autenticidad.

Joe se acordó de que se había preguntado cuál era el poder misterioso que aquella mujer tenía sobre el público… y supo que acababa de recibir la respuesta.


Salieron del aparcamiento en silencio y fueron avanzando por entre el tráfico laberíntico del centro de la ciudad. Joe había pensado multitud de cosas en los últimos días, y había reevaluado muchas de las maneras en las que hacía negocios. Pero no había estado preparado para el impacto que Debra Davenport tuvo sobre él con una sola palabra.

Autenticidad.

Echó un vistazo a la expresión impávida de Píndaro, tan inescrutable como la de una esfinge, y luego volvió a fijar la vista en la carretera.

—¿Sabe por qué fui a verle el sábado?

Píndaro asintió.

—Estaba deseoso de aprender cosas sobre el éxito. El éxito genuino.

Joe hizo una pausa, y luego prosiguió:

—En realidad, no es así. Lo cierto es que no. La verdad es que...

Píndaro le miró con expresión seria.

—Continúe.

Joe tomó aire y dijo:

—Fui a verle porque quería impresionarle. Quería ganarme su confianza, y esperaba o, mejor dicho, planeaba convencerle de que me ayudase a cerrar un negocio, uno que tengo entre manos. Que me aportase dinero y contactos y... Bueno... —la voz de Joe fue bajando de volumen hasta convertirse en una confesión casi inaudible—, su influencia.

¡Bueno! Ya lo había dicho, y ahora ya estaban las cartas sobre la mesa: el motivo por el que fue a ver a aquel hombre. La cuenta G. K. Fuerza e influencia.

Joe nunca había visto enfadado a Píndaro. Por supuesto, ahora tampoco le apetecía tener esa experiencia. A pesar de ello, volvió a tomar aire y se obligó a volverse hacia su mentor y mirarlo a los ojos.

—Fue un motivo estúpido —dijo Joe.

Píndaro habló con voz suave.

—No, estúpido no. Responde al punto en que se encontraba, nada más. Aparte, ésa no es la razón por la que vino a verme. Es la razón que cree que le indujo a acudir a mí.

Joe se lo quedó mirando.

—Entonces, ¿cuál fue el verdadero motivo?

Píndaro sonrió.

—Usted deseaba aprender cosas sobre el éxito, sobre el verdadero éxito.

LA CUARTA LEY

# LA LEY DE LA AUTENTICIDAD

*Lo más valioso que puedes darle
a los demás es a ti mismo.*

# 11

## Gus

Aquella tarde Gus dejó tranquilo a Joe. Se dio cuenta de que el joven necesitaba más espacio. No sabía exactamente qué había pasado, pero sospechaba que estaba experimentando el dolor purificador que provoca la reflexión honesta sobre uno mismo.

A las cinco de la tarde, Gus apagó la lámpara de su escritorio, recogió sus cosas y se acercó a descolgar su americana de *tweed* del perchero.

—¿Gus?

Se volvió y descubrió que Joe le estaba mirando.

—¿Humm?

El joven parecía pensativo. No, era algo más que eso: tenía una expresión de contrición intensa.

—¿Tienes un minuto?

Gus dejó la chaqueta en el perchero.

—Claro.

Se sentó al lado de la mesa de Joe, cruzó las manos y alzó la vista.

Joe rodeó su escritorio, colocó una silla junto a la de Gus y se sentó.

—Tengo que decirte algo —le anunció Joe, e hizo una pausa.

Gus esperó.

—Siempre te has portado bien conmigo, desde que entré en la empresa. Y siempre he pensando que eras…, bueno, un poco ingenuo. Anticuado, ¿me entiendes?

Gus asintió.

—Nunca he creído los rumores que corren sobre ti —le dijo

Joe—. Ya sabes, que el dueño no te despide por una cuestión de lealtad. Y tampoco me he creído nunca los otros rumores, que has tenido mucho éxito. Pero en parte eso sí es verdad, ¿no? Esas cinco leyes, todo ese rollo de Píndaro sobre que hay que dar, tú sabes todo eso, ¿a que sí?

Gus se quedó mirando unos instantes a Joe antes de responder.

—He tenido mucha suerte en mi carrera —corroboró—. Y sí, he estado en esa mansión de piedra, aprendiendo las mismas lecciones que estás asimilando esta semana. —Gus se miró las manos y luego volvió a fijar la vista en Joe—. Veamos… Hoy es jueves, de manera que imagino que acaban de hablarte de la Cuarta Ley del Éxito Estratosférico, ¿no?

Joe asintió.

—La autenticidad. Y se supone que ahora debo encontrar la manera de aplicarla.

Gus frunció los labios, con expresión reflexiva.

—Vale. Pues me parece que ya la has encontrado.

Joe se quedó mirándolo durante lo que pareció un minuto entero.

Gus le devolvió la sonrisa, sin pestañear.

—Eres tú, ¿verdad? —le preguntó Joe en voz baja—. Tú eres el Conector.


Gus separó las manos, se repantigó en su silla, se rascó la cabeza, miró por la ventana y luego volvió a mirar a Joe y extendió las manos como diciendo «Me has pillado».

—Conocí a nuestro amigo Píndaro hace treinta y cinco años. Le presenté a Sam Rosen pocos años después.

»Al cabo de algunos años más, invertí un puñado de dólares en invitarlos a los dos a comer perritos calientes en un puesto que conocía. Aquella comida a base de salchichas resultó ser una inversión muy productiva.

Concedió a Joe unos instantes para procesar la información, y luego prosiguió:

—Hará un poco más de diez años presenté a Ernesto Iafrate y a su esposa a Debra Davenport, la mujer que le había vendido la casa a mi mujer. A menos que me equivoque, seguramente hoy has escuchado su conferencia.

Aturdido, Joe lo corroboró.

—Unos años más tarde, cuando unos jóvenes amigos quisieron crear su propia empresa de *software*, les presenté a Sam, que les prestó asesoramiento financiero. Sam, Píndaro y yo invertimos en la pequeña empresa de Nicole Martin, y nos salió bien, tanto como la inversión en el Café Iafrate.

Percibiendo la mirada de Joe, equivalente a quedarse con la boca abierta, Gus soltó una risita un poco afectada.

—No sé, es que no dejo de encontrar caballos ganadores. Siempre he tenido suerte en ese sentido.

Miró a Joe a los ojos y éste comprendió que lo que le estaba diciendo era que le consideraba a él mismo uno de esos «caballos ganadores», y que eso no tenía nada que ver con la suerte.

—No… no lo entiendo —balbució Joe—. Perdona que te lo diga con tanta franqueza, pero ¡debes ser millonario!

Gus observó a Joe con una mirada penetrante que éste jamás había visto en el rostro del viejo.

—Esto es algo que considero muy privado, pero me gustaría compartirlo contigo y fiarme de ti para que sea confidencial, entre tú y yo. Te diré el valor de mi patrimonio neto.

Joe manifestó su anuencia.

Gus dijo una cifra.

Joe sintió que se le aflojaban las rodillas.

—Pero ¿por qué sigues trabajando aquí? De hecho, ¿por qué sigues trabajando en nada? —Antes de que Gus pudiera responderle, Joe levantó una mano—. No, no me lo digas. Seguro que lo adivino.

Pensó en todas aquellas conversaciones largas e inconexas de

Gus, su manera afable de tratar a clientes potenciales, sus vacaciones erráticas y prolongadas. Sonrió.

—Te encanta tu trabajo. Te gusta hablar con la gente, hacerles preguntas, conocerles, descubrir maneras de ayudarles, de servirles, de satisfacer una necesidad o compartir un recurso...

Gus se puso en pie, se acercó al perchero, descolgó su americana de *tweed* y le guiñó un ojo a Joe.

—Un viejo tiene que divertirse de alguna manera —sentenció. Mientras Gus se dirigía a la puerta del ascensor, Joe sonrió y dijo:

—Nos vemos a la hora del almuerzo.

Gus se volvió y miró sorprendido a Joe.

—¿El almuerzo?

Joe rió:

—¡Ah, no, esta vez sí que lo he pillado! Tú eres el Conector, ¿verdad? Por tanto, eres la cita que tengo mañana a la hora del almuerzo. ¡El invitado del viernes!

—¡Aaaah, el invitado del viernes! —Gus soltó una risa breve—. ¿Yo? No, no soy yo. —Volvió a reírse mientras entraba en el ascensor, sin dejar de hablar consigo mismo—: El invitado del viernes. ¡Caray, eso sí que sería divertido!

# 12

## La Ley de la Receptividad

El viernes, a las doce en punto del mediodía, Joe llamó enérgicamente a la puerta principal de la gran mansión de piedra. Alzó la vista hacia los nubarrones que se iban acumulando en el cielo y metió las manos en los bolsillos buscando un poco de calor. Hoy era uno de esos días de finales de septiembre que mostraba más indicios del invierno que se acercaba que del verano que se despedía.

Estaba a punto de llamar por segunda vez cuando se abrió la puerta y apareció Rachel.

—¡Joe! Pasa, pasa —le dijo, y le condujo al estudio—. El Viejo ha tenido una llamada telefónica inesperada. Si no te importa esperar aquí, bajará dentro de unos pocos minutos.

Joe paseó la vista por la habitación, con sus paredes forradas de madera de roble, y su olor a cuero y a libros viejos.

—Hoy no vais a salir —le informó Rachel, respondiendo a la pregunta que Joe no había formulado—. Hoy es el día en que almorzáis aquí.

Joe se dio cuenta de que Rachel había dicho la frase como si formase parte de una secuencia establecida, algo que ya habría explicado muchas otras veces.

—Hoy es el día del invitado del viernes, ¿eh?

Rachel sonrió.

—Eso mismo.

—¿Te puedo hacer una pregunta? —Joe había estado impaciente por tener esta conversación desde el miércoles, cuando Píndaro le había contado la historia de Rachel.

—Claro.

—¿Cómo es trabajar para Píndaro?

Ella vaciló y luego sonrió.

—¿Sinceramente? —Se sentó en una de las butacas orejeras de la habitación—. Ha sido alucinante.


En el transcurso del año que llevaba trabajando en la mansión, Rachel había aprendido más sobre el arte de hacer negocios de lo que la mayoría de empresarios aprende durante toda una vida cargada de experiencias. Aprendió sobre finanzas y economía, negociación y establecimiento de contactos comerciales, recursos y relaciones: «Los principios de Píndaro sobre el comercio cooperativo, de la A a la Z», dijo ella sonriendo.

Se dedicó a aplicar todas aquellas lecciones al dedicarse a fondo a estudiar su pasión: la elaboración de un café excelente.

Tras comenzar con una larga conversación en el café de Ernesto, Rachel había explorado el mundo de los proveedores de restaurantes, analizando cuidadosamente las líneas más fiables que conducían al mejor equipamiento posible, como tostadores y molinillos industriales de café.

También aprendió a localizar los mejores granos de café de muchos lugares del mundo. Empezó yendo a conocer a algunos cultivadores en Colombia, con los que contactó gracias a su profesor de español en el colegio, que era colombiano. Después de aprender rápidamente las diversas variantes del español de la zona, le fue fácil hacer otros contactos en los países vecinos de Ecuador, Venezuela, Perú y Brasil. Pronto amplió su red de contactos a otros continentes y forjó amistades con cultivadores de Sumatra, Indonesia, Kenia, Yemen…

— ¿Sabes cuántos países productores de café hay en nuestro pequeño planeta? —preguntó.

Joe pensó unos instantes y respondió:

— ¿Veinte?

—Más de tres docenas. Y a lo largo de los últimos doce meses he establecido relaciones con cultivadores de café de todos y cada uno de esos países.

Joe se quedó de piedra. Con aquella red impresionante de contactos, Rachel podía saltarse a los corredores e intermediarios, y acceder a un suministro mundial del café de máxima calidad... a un precio extremadamente bajo. Luego estaban todas las personas a las que les sirvió un café en la sala de estar de Píndaro durante los últimos doce meses, lo cual le proporcionó contactos con expertos de primera clase en todas las facetas de los negocios, desde importación/exportación hasta financiación internacional, administración y recursos humanos.

De hecho, si quisiera, seguramente Rachel podría salir de aquella casa y, al cabo de cuarenta y ocho horas, echar los cimientos para un imperio del café para *gourmets*.

—¡Oh, Dios santo! —exclamó Joe—. ¡Por supuesto! —Se dio una palmada en la frente y se echó a reír.

—¿Por supuesto qué?

El rostro de Joe se ensanchó en una gran sonrisa. Se reclinó en su silla y señaló a Rachel.

—Por supuesto... tú.

—Yo —dijo ella.

—Tú. Como llevas aquí toda la semana, no se me había ocurrido. ¡Y ha estado delante de mis narices todo este tiempo!

Rachel arqueó las cejas, como diciendo «¿Sí?»

Ahora Joe la señaló con los índices de ambas manos, como si fueran un par de pistolas.

—Tú eres la invitada del viernes. ¡Confiesa!

Rachel suspiró y alzó las manos, como diciendo «Me rindo, tú ganas».

—¡Buena intuición!

Joe sonrió de oreja a oreja.

—Pero en este caso te ha fallado.

La sonrisa de Joe se desvaneció.

Rachel inclinó la cabeza, escuchando.

—Ah, ya ha acabado la llamada telefónica. —Se puso en pie—. ¿Encontrarás el camino a la terraza? Me ha dicho que estaréis allí sentados almorzando, esperando a que llegue el invitado del viernes.

Sonrió al captar la mirada de consternación en el rostro de Joe y se marchó en silencio.

Él meneó lentamente la cabeza, y luego se levantó de la cómoda butaca y se dirigió a la terraza para reunirse con su mentor y esperar al invitado del viernes... fuera quien fuese.

—Y bien, ¿qué piensa de todo esto?

Durante los últimos veinte minutos, los dos hombres habían disfrutado de un maravilloso almuerzo a base de fiambres y embutidos, pan fresco, encurtidos, olivas y salsas. Joe contó cinco tipos diferentes de mostaza, y había conseguido probarlos todos. Pero sabía que la pregunta de Píndaro no se refería al almuerzo. Tenía que ver con todo lo que había visto y oído durante la semana.

Joe vaciló y luego habló cuidadosamente, como si estuviera cruzando un río saltando de una piedra a otra.

—Creo que... todo resulta sorprendente. Maravilloso, realmente maravilloso. —Hizo una pausa, sintiendo la calidez del sol de finales de septiembre, que iba aumentando.

—¿Entonces? —insistió Píndaro.

—Y la verdad es que no... —Joe respiró hondo y luego soltó el aire de golpe, incapaz de completar la idea.

—A ver si le puedo ayudar —dijo Píndaro—. Cuando era joven, ¿qué aprendió sobre el hecho de dar?

Joe frunció el ceño, concentrándose.

Incluso antes de que pudiera recordar, Píndaro interrumpió el hilo de sus pensamientos:

—No piense en ello, Joe. No intente recordar. Sencillamente, dígame, cuando escucha la palabra «dar», ¿qué es lo que le viene a la mente?

—Es mejor dar que recibir…

—¡Exacto! Es mejor dar que recibir, ¿verdad? Si es usted una buena persona, eso es lo que hará, dar. Las buenas personas dan sin pensar en recibir. Pero usted, usted no deja de pensar en recibir constantemente, no puede evitarlo. Lo cual quiere decir que probablemente no es, en el fondo, muy buena persona… Así que ¿para qué esforzarse? Todo eso de dar suena muy bien… y puede ser apropiado para algunas personas. Quizá para personas como yo, o Nicole, o Ernesto. Pero para usted no. Usted no es así.

Se produjo un momento de silencio.

—¿Es así o no?

Joe suspiró.

—Sí, algo así —admitió.

Píndaro se giró y contempló la ciudad que se extendía hacia el oeste. Parecía pensativo, casi triste. Mientras retomaba la conversación, siguió con la mirada perdida en la distancia.

—Quiero que intente hacer algo por mí. Voy a contar hasta treinta y, mientras lo hago, quiero que vaya espirando aire lentamente. Eso es todo: simplemente, exhale sin cesar. Primero respire hondo, de modo que tenga mucho aire en los pulmones, ¿vale? Muy bien, coja aire… y… ¡ahora!

Mientras Píndaro empezaba a contar, Joe comenzó a soltar el aire contenido lentamente. Cuando Píndaro llegó al nueve, Joe ya estaba un poco pálido y se inclinaba hacia delante. Al llegar al doce, se enderezó y, bruscamente, tomó aire con fuerza.

Píndaro le miró.

—¿No ha podido llegar a treinta?

Joe negó con la cabeza.

—¿Qué me diría si le cuento que la medicina ha demostrado que es más sano espirar que inspirar? ¿Supone alguna diferencia?

Confuso, Joe volvió a negar con la cabeza.

—No, por supuesto que no. Uno no puede exhalar indefinidamente, y da igual los argumentos que le den y que sostienen lo contrario.

»¿Qué pasa si le digo que es mejor que su corazón se relaje en lugar de contraerse? Que se siga abriendo sin volver a cerrarse. ¿Haría la prueba? —Esta vez ni siquiera esperó una respuesta—. Es ridículo, ¿verdad? Por supuesto que sí. Como lo es esa tontería popular y tradicional que usted, yo y todo el mundo nos hemos tragado.

»No es mejor dar que recibir. Dar sin esperar recibir es una locura.

»Intentar no recibir no sólo es absurdo, sino también arrogante. Cuando alguien le hace un regalo, ¿qué le da derecho a rechazarlo, a negar su derecho a hacérselo?

»Recibir es el resultado natural de dar. Si usted da y luego intenta detener los beneficios que son la consecuencia de sus actos, será como el rey Canuto, que observaba las olas en la playa y les ordenaba que no volvieran al mar. Las olas tienen que volver al mar, del mismo modo que su corazón tiene que contraerse después de relajarse.

»En este instante, por todo el planeta, la humanidad respira oxígeno y espira dióxido de carbono. Es lo mismo que hace el resto del reino animal. Y justo ahora, en este mismo instante, por todo el mundo, los millones y millones de organismos del reino vegetal hacen exactamente lo contrario: inspiran dióxido de carbono y espiran oxígeno. Las plantas dan y nosotros recibimos, y nosotros damos y ellas reciben.

»De hecho, el acto de dar sólo es posible porque también lo es el de recibir.

Y diciendo esto, Píndaro dejó de hablar abruptamente y volvió a contemplar la ciudad y los montes lejanos.

«El acto de dar sólo es posible porque también lo es el de recibir.»

Durante un minuto entero ninguno de los dos dijo nada. Joe no escuchaba otra cosa que el fluir confuso de la sangre en sus oídos; era como si pudiera escuchar el sonido de sus pensamientos dando vueltas a su cabeza. Entonces fue consciente de su respiración: inspiraba y espiraba, inspiraba y espiraba... y se echó a reír.

—¡El caballo!

Píndaro se volvió hacia él mirándole sin comprender.

—Un caballo —repitió Joe—. Y el agua. Puedes llevar el caballo al agua...

Píndaro inclinó la cabeza y esperó.

—... pero no puedes obligarle a beber el agua que le ofreces. Ésa es la última ley, ¿verdad? Elegir recibir.

Píndaro no dijo nada ni se movió. Siguió observando y escuchando.

Los pensamientos de Joe empezaron a arremolinarse en su mente.

—Podemos cansarnos de dar cosas, pero no obtendremos el éxito, no alcanzaremos los resultados que deseamos, a menos que estemos dispuestos y seamos capaces de recibir en igual medida. Porque si no nos permitimos recibir, rehusamos los dones de otros, interrumpiendo así el flujo. Dado que los seres humanos nacen con apetito, no hay nadie más predispuesto a ser receptivo que un bebé; y si el secreto de mantenerse joven, vibrante y vital durante toda la vida consiste en aferrarnos a esos rasgos preciosos que tenemos de niños pero que luego nos van arrebatando, como tener grandes sueños, curiosidad, creer en nosotros mismos, ¡entonces uno de esos rasgos es estar abiertos a recibir, anhelar recibir, necesitarlo desesperadamente!

Ahora los ojos de Joe brillaban tanto como los de Píndaro, que le observaba.

—De hecho, todas esas cosas que he mencionado, como lo de tener grandes sueños, tener curiosidad y creer en nosotros mismos, son aspectos de abrirse a la receptividad, en realidad son lo mismo que estar abierto. Estar abierto a recibir es como...

Y aquí Joe pareció atascarse un momento. Extendió los brazos y miró al cielo, como si buscara una palabra lo bastante grande como para plasmar sus pensamientos...

—¡Es como todo!

Joe guardó silencio.

Durante un instante Píndaro le miró, sonriente, y luego dijo:

—Está clarísimo que el mundo lo diseñaron con sentido del humor, ¿verdad? Dentro de cada verdad, de cada apariencia, hallamos una parte de su opuesto.

—Para que las cosas sean interesantes —pensó Joe en voz alta.

—Sí —repuso Píndaro, asintiendo complacido—. Ésa es una estupenda manera de decirlo. Para que las cosas sigan siendo interesantes, siempre son un poco lo opuesto a lo que parecen.

—Por lo tanto, el secreto del éxito —prosiguió Joe—, de obtenerlo y disfrutarlo, consiste en dar, dar y dar. El secreto para dar es recibir. Y el secreto para dar consiste en abrirse a recibir. ¿Cómo se llama esta ley?

Píndaro arqueó las cejas.

—¿Cómo la llamaría usted?

Y Joe repuso sin vacilar:

—La Ley de la Receptividad.

Píndaro asintió pensativo.

—Muy bien.

Permanecieron sentados en silencio durante un rato, reflexionando sobre la Ley de la Receptividad y sobre la gloriosa ironía de la creación, que envuelve cuidadosamente dentro de paradojas sus mayores verdades.

De repente, Joe tuvo una idea que casi le hizo ponerse en pie de un salto.

—¡Casi ha pasado mi hora del almuerzo! ¿A quién se supone que debíamos ver hoy?

Píndaro le miró.

—¿Humm?

—¿A quién teníamos que ver? Ya sabe, ¿quién debía revelar-me la última ley? El invitado del viernes...

Píndaro sonrió.

—Ah, el invitado del viernes, sí. Ése era usted, amigo mío. —Tras una nueva pausa, añadió—: Ése era usted.

## LA QUINTA LEY

# LA LEY DE LA RECEPTIVIDAD

*La clave para dar eficazmente
es estar abiertos a recibir.*

# 13

## Se cierra el círculo

Aquella tarde, en la séptima planta de la Clason-Hill Trust Corporation, los ánimos estaban por los suelos. Se estaba acabando el tercer trimestre, y todos los colegas de Joe hacían lo mismo que él. Intentaban sacarse de la manga algún milagro de última hora para hacer un poco más de negocio.

En el caso de Joe, era necesario algo más que un poco.

Pero el negocio en cuestión no había llegado. Carl Kellerman había llamado para confirmar las malas noticias: Neil Hansen se había llevado, en detrimento de Joe, el suculento contrato que éste llamaba Gran Kahuna.

Joe estaba sentado a su mesa, contemplando reflexivamente su taza de café vacía, mientras sus compañeros empezaban a ponerse las chaquetas y a cerrar los maletines. Ya pasaban de las cinco. Cualquier negocio que pudieran hacer tendría que esperar a octubre y al cuatro trimestre.


—¿Quieres charlar antes de saltar por la ventana?

Joe levantó la mirada y vio a Gus que le contemplaba desde la puerta abierta de su despacho. Se rió no muy animado y le indicó con un gesto a su amigo que se acercase. Gus se acomodó en una silla delante de la mesa de Joe, mientras éste jugueteaba con un lápiz.

—Bueno, Gus, he perdido la cuenta de mi vida y no he cubierto la cuota del tercer trimestre. Ni siquiera estoy seguro de qué me va a pasar ahora. Y lo más curioso de todo esto es que…

Mientras Gus escuchaba, sacó de un bolsillo del chaleco su pipa de espuma de mar y la cebó.

—Lo curioso es que, claro, me siento mal, pero no tanto como pensaba. Es decir… que en realidad no he intentado obtener la ayuda de Píndaro para conseguir este negocio. Ni siquiera mencioné su nombre a Carl Kellerman. Supongo que la he pifiado del todo, pero si tuviera que volver a empezar, creo que lo haría otra vez igual. ¿Sabes? —Miró el reloj que colgaba de la pared—, hace exactamente una semana, justo a esta hora, te pedí el número de teléfono de Píndaro. Y ahora… —Suspiró—. Supongo que hay que tener paciencia.

Gus sacó un pequeño encendedor de plata del bolsillo, se puso la pipa entre los dientes, encendió el mechero con un suave *¡click!* y sostuvo la llama sobre la cazoleta de cerámica blanca. Dio unas caladas hasta que la picadura prendió bien y se echó hacia atrás, para apoyarse en el respaldo.

¡El hombre se estaba fumando una pipa en la oficina, nada menos!

Gus le guiñó un ojo a Joe.

—Unas caladitas —dijo. Chupó la boquilla y luego apartó la pipa de los labios y contempló la cazoleta y presionó la picadura con el dedo—. No puedes medir tu éxito por el hecho de conseguir o no esa cuenta. Ésa no es la idea.

—¿No? Entonces, ¿cuál es la idea?

Gus volvió a dar una calada, exhaló formando tres anillos de humo perfectos y los vio disolverse en el aire. Luego vació el contenido de la pipa en la papelera de Joe.

—La idea no es lo que hagas, ni lo que consigas, sino quién eres.

De repente, Joe sintió ganas de llorar.

—Lo sé, es que… —Miró a Gus y se sorprendió al ver hasta qué punto su expresión amable le recordaba la de Píndaro—. Es que no soporto parecer tan pragmático y materialista, pero ¿de qué sirve todo esto si no genera beneficios en el mercado? ¡Podría ser un santo y morirme de hambre!

Joe paseó su mirada triste por la oficina, volvió a mirar el reloj y, de repente, se sentó recto como un palo.

—¡Aaaah! ¡La última ley!

Gus arqueó las cejas.

—¿Humm?

—¡Se supone que debo aplicar la Ley de la Receptividad! La clave para dar es estar abierto a recibir. Pero ¿cómo se supone que debo hacerlo? ¿Cómo consigue uno estar abierto a recibir? Porque te soy sincero, Gus, ya estoy abierto a recibir. De verdad, ¡lo estoy, sin duda! —Suspiró y volvió a hundirse en la silla—. Al menos eso es lo que pensaba. Pero parece que lo único que voy a recibir son migajas.

Gus se inclinó hacia delante y apoyó la mano en el hombro de Joe.

—No te preocupes, Joe —dijo levantándose—. Preocuparte por el tema no te servirá de nada. Has tenido una semana muy larga. Vete a casa con tu mujer. Yo me quedo y cierro el despacho.

Algo en la manera de actuar de Gus hizo que a Joe se le relajasen los hombros, y sintió que su malhumor perdía un poco de intensidad. Le brindó a su compañero mayor una sonrisa mortecina, cansada.

—Gracias, Gus. Pero no hace falta. Yo me encargo de todo.

Gus meneó la cabeza y fue a coger el abrigo.

—Eres una persona distinta a como eras hace una semana, Joe, ¿lo sabías? —Fue hasta el ascensor, pulsó el botón de «BAJADA» y se dio la vuelta justo cuando se abría la puerta—. Aunque este Joe ya lo llevabas dentro. Lo único que pasa es que no era lo bastante visible —añadió sonriendo—. Buenas tardes, Joe.

—Buenas tardes, Gus. Y… gracias.


Joe se quedó sentado en silencio y con los ojos cerrados en la oficina ya vacía. Sentía cómo se iba desvaneciendo la luz diurna. Era hora de irse a casa. Se levantó lentamente. Se acercó al depósito de la máquina de café, tiró por el desagüe los restos amargos del último café de la tarde, así como los posos fríos y húmedos; luego pasó por agua el gran cilindro metálico y empezó a limpiar la zona alrededor de la cafetera eléctrica con toallas de papel húmedas.

Mientras lavaba las tazas, las secaba y las colocaba en orden en la alacena, pensó en Rachel y en la ilustre bebida que preparaba. Sintió que una extraña sonrisa de satisfacción surgía de lo más hondo de su ser y se extendía por su rostro. Se quedó quieto y escuchó el silencio de la oficina, normalmente tan bulliciosa.

¿Qué estaba sintiendo? Le daba la sensación de que el silencio estaba casi vivo. Quieto pero escuchando, se sentía... ¿cómo decirlo?... Receptivo.

Sonó el teléfono. Joe giró sobre sí mismo para mirarlo y luego desvió la vista al reloj de pared. ¿A las seis y cuarto? ¿Un viernes? Descolgó.

—Hola. ¿Joe? —La voz no le resultaba conocida—. No me puedo creer que siga usted ahí.

—Lo siento, ¿hemos...? —Joe seguía sin identificar la voz.

—No, no me conoce. Soy Hansen, Neil Hansen. Ed Barnes me facilitó su número.

—¿Quién? ¿Que Ed Barnes le remitió a mí? ¿Está seguro de que... ?

Y entonces se acordó.

Ed Barnes. El competidor cuyo nombre él le había pasado a Jim Galloway. La conversación telefónica del lunes, su primer día de «deberes». «Da más en valor...»

—Un momento —balbució Joe—, ¿es usted el Neil Hansen que tenía aquella cuenta con...?

—Escuche —dijo el hombre, con una voz que denotaba nerviosismo—. Estoy en un aprieto...

Joe no podía creer lo que estaba oyendo. ¿El hombre que se había hecho con la cuenta G. K. sin despeinarse, un archicompetidor, a quien otro competidor le había dado su número, estaba hablando ahora por teléfono con él porque «estaba en un aprieto»?

—… y Ed me dijo que había pocas posibilidades, pero que ya puestos podría llamarle, porque a lo mejor conoce usted a alguien… Me dijo que le había dado una referencia estupenda. Está a punto de llamarme un tipo que trabaja con una cuenta muy grande, y le digo en serio que es muy grande, y está en un apuro. La cuenta ha perdido al proveedor y necesitan a alguien rápido, porque ya lo tenían todo organizado.

—¿Cuál es la cuenta? —preguntó Joe.

Escuchó cómo el otro hombre hacía una pausa al otro extremo de la línea.

—No me va a creer cuando se lo diga.

Le dio a Joe el nombre de la cuenta.

Durante un segundo, Joe se quedó sin respiración. Era un nombre al lado del cual la Gran Kahuna no era más que una bagatela.

No era una Gran Kahuna.

Era el Grandísimo Kahuna en persona.

Joe se sentía mareado.

—¿Qué necesitan? —preguntó débilmente.

—Espere un momento, me están llamando ellos…

Neil Hansen puso la llamada en espera durante un momento, y Joe paseó de un lado a otro mientras esperaba. Después de los diez o quince segundos más largos que había pasado en su vida, volvió a escuchar la voz al otro lado de la línea.

—Vale, ahora son ellos los que están a la espera. Muy bien, esto es lo que tenemos. Van a comprar tres grandes cadenas hoteleras y a consolidarlas bajo una misma empresa, cambiando el nombre y centrándose en habilitarlas para celebrar conferencias de negocios y viviendas vacacionales; además, harán despegar la nueva empresa organizando una línea de cruceros de lujo que compraron como parte del paquete… Y no se lo pierda: todo esto lo quieren hacer en un plazo de tres semanas.

A Joe le daba miedo preguntar.

—¿Y?

— Bueno, pues que en el último minuto perdieron una concesión esencial. Los proveedores con los que trabajaban han empezado a plantear problemas con su estructura tarifaria y al final tuvieron que dejar correr el contrato. Ninguno de los otros proveedores con los que hemos contactado está a la altura de su escala o de su estándar de calidad. Ninguno de ellos es lo bastante grande y, sinceramente, tampoco son lo bastante competentes. Quien logre llevarse el gato al agua tendrá entre manos un paquete impresionante, pero el caso es que no encuentro a nadie que pueda gestionarlo debido a la escala, el precio y la fecha tope.

—¿Cuál es la concesión? —casi susurró Joe.

La voz del otro hombre le llegó con un tono derrotado, cansado, propio de un viernes por la tarde.

—Café de máxima calidad. Estamos hablando de cientos de miles de clientes. Estamos hablando de una gran calidad, de la máxima calidad posible, y de un volumen casi imposible. ¡Tres semanas! ¡Tres semanas! ¡No hay nadie que se acerque a eso!

Joe respiró hondo y muy lentamente y luego, con la misma parsimonia, se sentó en la silla.

Sonrió.

—¿Sabe una cosa? —dijo—, es posible que conozca a alguien.

# 14

# El generoso

La joven salió del aparcamiento subterráneo, entrecerrando los ojos bajo la intensa luz del sol de agosto. «Lo harás bien, Claire», murmuró para sí misma por tercera vez aquella mañana. Ahora ya hacía varias semanas que estaba en contacto con aquella empresa, pero siempre a través del teléfono o el *e-mail*. Hoy iba a conocer al hombre en persona.

«Lo harás bien», se repitió, y luego se dirigió hacia el bloque de oficinas.

Durante las semanas anteriores Claire había investigado un poco sobre aquella empresa joven, con la esperanza de encontrar algún motivo de los que habían hecho que, de la noche a la mañana, tuviera un éxito tan apabullante. No hacía ni siquiera un año que uno de los fundadores de la empresa había tenido la inmensa suerte de hacerse con un importante contrato que hizo que la empresa que estaba a punto de visitar cosechara un éxito estratosférico. «Uno de esos negocios mágicos que surgen una vez en la vida, si hay suerte», decía el artículo de una de las revistas que consultó; sin embargo, en los diez meses transcurridos desde entonces, él y sus dos socios habían tenido un golpe de suerte tras otro.

Aunque era un hombre joven, ya circulaba la reputación de que tenía «el toque de Midas».

Claire llegó a la dirección que le habían facilitado, una antigua fábrica remodelada situada en el antiguo distrito textil de la ciudad, rodeada de establecimientos de alimentación de lujo y apartamentos con áticos caros. Echó un vistazo por la puerta y, efectivamente, allí estaba el nombre, tallado a mano en un gran plafón de madera en el curioso vestíbulo con suelo de baldosas:

### EL FAMOSO CAFÉ DE RACHEL
### QUINTA PLANTA

Levantó la vista y contó los pisos. La quinta planta… Ésa iba a ser la de arriba de todo. El reflejo del sol la hizo sentirse un poco mareada.

—No parece que el éxito se les haya subido a la cabeza —reflexionó en voz baja mientras cruzaba el diminuto vestíbulo y entraba en el arcaico ascensor.

La recepcionista de El Famoso Café de Rachel recibió a Claire con una cálida sonrisa, y le indicó que continuase por un largo pasillo hasta una puerta donde se leía una sola palabra: «Brainstorming». Llamó suavemente dos veces, y luego otras dos, esta vez con más firmeza.

La puerta se abrió y Claire escuchó la voz de un hombre que exclamaba:

—¡Adelante!

Un hombre sonriente, de treinta y tantos años, con gafas y un rostro redondo, la condujo a la espaciosa sala de conferencias mientras le estrechaba la mano.

—Usted debe ser Claire —dijo el hombre—. Soy Hansen. Neil Hansen. Me alegro mucho de conocerla. Mis socios y yo valoramos mucho todo el trabajo y el esfuerzo que ha invertido en su propuesta.

Claire casi se quedó sin aliento. La mesa de conferencias de madera noble pulida situada en el centro de la estancia soportaba una maqueta muy detallada de lo que parecía un pequeño pueblo situado en un monte. A las afueras del pueblo una batería de turbinas eólicas impulsaba un sistema de irrigación oculto que serpenteaba por una serie de campos distribuidos en bancales. La diseñadora que Claire llevaba dentro se maravilló ante la simplicidad y la eficacia del concepto. Era increíble.

—Muchas gracias, señor Hansen —dijo, mirando la pared al otro lado de la mesa, que estaba cubierta de fotografías preciosas; todas eran en blanco y negro, y los modelos eran niños de diversas edades y vestidos con prendas variopintas.

El hombre siguió la mirada de Claire y sonrió con calidez:

—Son sorprendentes, ¿a que sí? No hay una fuerza más poderosa que la confianza que se refleja en un rostro infantil. —Rodeó la mesa acompañado de Claire mientras ella observaba una foto tras otra—. Muchas de ellas son de los hijos de nuestros socios en las diferentes zonas donde hacemos negocios.

»Todas las hizo Rachel en su último viaje —añadió—. Le hubiera gustado estar aquí para recibirla, pero está fuera del país, en Centroamérica, afianzando unos cuantos contactos esenciales para un gran proyecto que vamos a lanzar más adelante, en otoño… Un gran proyecto, realmente enorme. ¡Pero bueno! En realidad usted ha venido a conocer a mi otro socio, ¿no es cierto?

Claire asintió.

—Pues puede entrar cuando quiera —dijo Neil Hansen, señalando con un gesto una puerta que llevaba al despacho contiguo—. La está esperando.


—¡Claire, bienvenida! Gracias por dedicarme su tiempo —la saludó el tercer fundador de El Famoso Café de Rachel.

—Es todo un honor, señor —repuso ella, mientras se preguntaba: «Pero ¿por qué me da las gracias?»

—Por favor, llámame Joe. ¡Si me llamas «señor», no sabré de quién estamos hablando!

Claire sonrió. A pesar de su nerviosismo, había algo en la voz de aquel hombre que la había hecho sentirse a gusto.

—De acuerdo…, Joe.

—Gracias —le dijo Joe. Le indicó una silla y luego se sentó él también—. Claire, quiero que sepas que hemos valorado positivamente tu propuesta, de verdad. Es evidente que te has empleado a fondo.

Hizo una breve pausa.

—Quería comunicarte —prosiguió— que hemos decidido conceder la campaña de marketing del próximo otoño a uno de tus competidores.

¡Allí estaba, el momento para el que Claire había estado preparándose toda la mañana! Sin embargo, aun así le sentó como un mazazo.

—Yo… Bueno, le agradezco que me lo diga en persona.

—¿No te sorprende?

—¿Cómo podría sorprenderme, señor…, quiero decir, Joe? Ellos son una gran empresa y yo trabajo por mi cuenta. El hecho evidente es que ellos pueden ofrecerles mucho más que yo.

—En realidad, con el debido respeto —le informó Joe—, no creemos que sea así. Sí, tienen más experiencia, y son muy buenos en su trabajo. Pero, francamente, Claire, tú tienes mucho talento y, lo que es más, pones el corazón en lo que haces.

—¿El corazón? —repuso Claire, confundida.

—Te acabo de decir que le hemos concedido el contrato a la competencia. Tu reacción ha sido darme las gracias y hacerme un cumplido. Tienes corazón.

»De hecho —prosiguió Joe—, por eso te pedí que te reunieras con nosotros hoy. La campaña que hemos concedido a tus competidores es importante. Pero tenemos otro proyecto en mente que, dentro del esquema general de las cosas, es muchísimo más crucial.

»Mis socios y yo hemos creado una fundación que está a punto de lanzar una iniciativa internacional a gran escala. El propósito de la Fundación El Famoso Café de Rachel es trabajar con comunidades indígenas por toda Centroamérica, África, el sudeste asiático y todos los países productores de café del mundo, ayudándoles a desarrollar cooperativas basadas en las comunidades locales, autosuficientes.

Hizo una pausa para dejar que Claire asimilase lo que le estaba diciendo.

—Ese proyecto representará un avance genuino y duradero para las comunidades de todo el mundo. Hará falta una enorme financiación para ponerlo en marcha adecuadamente. Necesitamos a alguien que diseñe y coordine el objetivo mundial de reunir ese dinero. Sé que es un poco distinto a lo que has estado haciendo hasta el momento, pero nos gustaría que, si te interesa, tú fueras esa persona.

Claire estaba demasiado anonadada como para despegar los labios.

Joe manifestó su aprobación como si Claire hubiera dicho algo, y prosiguió:

—Por supuesto, tendrás que meditar la propuesta. Lo que me gustaría realmente es que mi esposa, Susan, te contara más cosas al respecto. Es la ingeniera civil más inteligente que conozco, y hemos tenido la suerte de poder convencerla para que dejase el puesto que ocupaba en el ayuntamiento y se uniera a nosotros. Y —dijo mirando su reloj— se reunirá conmigo dentro de unos minutos abajo, para ir a almorzar. ¿Tienes tiempo para venir con nosotros?

Claire hizo una pausa, buscando las palabras más adecuadas.

—Señor... Joe...

Él no dijo nada, pero asintió levemente con la cabeza, como diciendo: «Continúa».

—¿Cómo... logra todo esto?

Joe puso cara de estar un poco extrañado.

— ¿Lograr qué?

—¿Cómo crea estas situaciones tan increíbles? No hace ni un año que usted y sus socios empezaron este proyecto. La mayoría aún estaría luchando por conseguir que el negocio despegara, pero ustedes ya están lanzando proyectos gigantescos que dejarán huella en todo el mundo.

»Supongo que lo que quiero decir es que me siento muy halagada por su oferta, y sin duda estoy interesada en saber más cosas sobre el proyecto…, muy interesada. Pero lo que más me interesa es saber cómo hacen lo que hacen. Tiene que consistir en algo más que suerte, o en estar en el lugar correcto en el momento adecuado. No sé qué secreto habrán descubierto ustedes tres, pero ¡está clarísimo que me gustaría saber qué es y cómo funciona!

Durante unos instantes Joe pareció sumido en sus pensamientos. Claire empezaba a preguntarse si no habría sido demasiado osada y, quizá, si le había ofendido, pero entonces él respiró hondo y le respondió.

—Una pregunta como ésa merece una respuesta clara y exhaustiva. Y te prometo que te vamos a dar exactamente eso… mientras almorzamos, si estás libre para unirte a nosotros. ¿Has estado alguna vez en Iafrate's? Es nuestro restaurante favorito.

Claire se escuchó decir:

—Gracias. No, no he estado…

Mientras se ponía en pie, Joe sonrió y dijo:

—Allí hay alguien a quien me gustaría que conocieras.

# Las cinco leyes
# del éxito estratosférico

### LA LEY DEL VALOR

*Tu verdadero valor se define por cuánto mayor es el valor*
*que ofreces respecto al beneficio que obtienes.*

### LA LEY DE LA COMPENSACIÓN

*Tus ingresos están determinados por el número de personas*
*a las que sirves y por la calidad del servicio que les prestas.*

### LA LEY DE LA INFLUENCIA

*Tu influencia está determinada por la medida en que*
*antepones los intereses de los demás a los tuyos.*

### LA LEY DE LA AUTENTICIDAD

*Lo más valioso que puedes darle a los demás es a ti mismo.*

### LA LEY DE LA RECEPTIVIDAD

*La clave para dar eficazmente es estar abiertos a recibir.*

# Agradecimientos

La concepción, gestación y nacimiento de un libro es un proceso milagroso, y la palabra «agradecimiento» apenas hace justicia a las funciones creativas que desempeñan numerosas personas ni al apoyo que nos prestan. Deseamos expresar nuestro mayor agradecimiento a:

Nuestros amigos, que leyeron el manuscrito en diversas etapas y nos ofrecieron su punto de vista, su sabiduría, su entusiasmo y sus sugerencias: Scott Allen, Shannon Anima, Brian Biro, George Blumel, Jim «Gymbeaux» Brown, Angela Loehr Chrysler, Leigh Coburn, John Milton Fogg, Randy Gage, Tessa Greenspan, John Harricharan, Philip E. Harriman, Tom Hopkins, James Justice, Gary Keller, Pamela McBride, Frank Maguire, el doctor Ivan Misner, Paul Zane Pilzer, Thomas Power, Nido Qubein, Michael Rubin, Rhonda Sher, Brian Tracy, Arnie Warren, Doug Wead, Chris Widener y Lisa M. Wilber.

A Ana McClellan, que repasó el manuscrito en todas sus etapas y sostuvo el proyecto con su ánimo a cada paso de dimos. Ana, eres la inspiración para la Ley de la Autenticidad.

A Thom Scott, que ejemplifica la Ley de la Influencia, y cuyo genio para la estrategia y su dominio de Internet han sido la guía que necesitaba *Dar para recibir* para llegar a este mundo.

A Bob Proctor, mentor estratosférico de multitud de personas, y la inspiración originaria de «Píndaro».

A nuestro fabuloso equipo de Portfolio: Adrienne Schultz, Adrian Zackheim, Will Weisser y Courtney Young. ¡Ojalá vuestro éxito constante venga determinado por el número de personas a las que servís y por la calidad de vuestro servicio! Este pequeño libro no podría haber hallado un hogar mejor.

A los agentes más maravillosos del mundo, Margret McBride, Donna DeGutis, Anne Bomke y Faye Atchison: agentes, editoras, adalides extraordinarias y ejemplos de la Ley del Valor.

A nuestros numerosos colegas y amigos, a quienes no mencionamos por nombre o por número, pero a quienes no olvidamos, y que han contribuido a enriquezer nuestras vidas y nos ayudaron a dar forma a las ideas contenidas en la esencia de *Dar para recibir*.

Y lo más importante de todo: a ti, nuestro fiel lector e invitado del viernes. Sal a dar, y no olvides abrirte para recibir.

Visítenos en la web:

www.empresaactiva.com